目次

一瞬の魔

単行本　平成6年9月　文藝春秋刊

一瞬の魔

1

女子行員の終業は五時十五分が定時なので、帰り仕度をした吉山富佐子が廊下へ出てきたのは五時半を少しすぎる頃だった。通用口へ行く途中の角で、鍵谷悟と鉢合わせした。すれちがいざま、「今夜寄るから」と彼が富佐子の耳許で囁《ささや》いた。

「ちょっと遅くなるかもしれないけど」

「え？」

何かあったの、と思わず尋ねかけたが、後ろから別の行員が「鍵《キイ》さん、鍵さん」と呼ぶのを聞いて、ことばをのみ、素知らぬ顔で通りすぎた。

その時から、富佐子はかすかな胸騒ぎを覚えていた。

一月二十五日木曜のことで、彼が富佐子のマンションを訪れるには多少不自然な曜日だったせいでもある。以前はやはりたいてい土曜の夕方、銀行がすっかり週休二日制になった昨年二月以後は、金曜の晩にもよく来る。

ゆっくりしたいなら明日まで待てばいいのに——

それを、遅くなっても今夜寄るというのには、何か理由があるのかもしれない。

鍵谷が支店長室から出て来た様子だったのも、気にかかった。

それでも富佐子は、一方ではにわかに心弾む思いで、銀行を出ると、近くのデパートの地下食料品売り場へ立ち寄った。マンションの近所では、酒の肴にいいものがない。

鍵谷や富佐子の勤めている日東銀行福岡支店は、市の中心部のビジネス街、マンションはそこから地下鉄で十五分ほど西へ行った住宅地にある。富佐子は七時前に自宅へ帰ってきた。

古い五階建ての三階の２ＤＫに、富佐子はもう二十三年も住んでいた。今年三十七歳だから、中学生の頃からで、ここから高校へも通い、卒業すると今の銀行に就職して、十九年経った。高校時代に、地元の工務店に勤めていた父が現場の事故で急死し、母と二人暮しになった。母は、父がいた会社の下請け会社の事務員として働き始めたが、富佐子が二十九歳の年に、乳癌で亡くなった。以来富佐子は天涯孤独になってしまった。

富佐子は北向きのキッチンに立って、デパートで買ってきた生雲丹《うに》やもずくを料理しながら、習慣的に時々顔をあげては窓の外へ目を注ぐ。真冬の闇に包まれた戸外には、別のマンションや住宅の灯火が点在していた。

昔はすぐ近くに博多湾が見えて、漁《いさ》り火もきれいだったのに、年々埋立地が拡張されるにつれ、海は先へ先へと遠のいてしまった。

母が亡くなってしばらくは、せめてあと数年でも生きていてくれたらと、どれほど涙を流したかしれないが、年月がたつほどに、このマンションを残してもらっただけでも幸せと思わなければいけないと考えるようになった。父が、市の住宅供給公社から安く買ったマンションは、母の死後四年でローンを完済していたので、富佐子は一生住居の心配だけはしないですむわけだ。

おそらく自分は、優しかった両親との思い出に浸りながら、死ぬまでここで独り暮しすることになるのだろう。そんな諦めと安息にも近いものが、しだいに心に居坐ってきていたせいかもしれなかった。

ところが、三十五歳の秋から、富佐子の生活はにわかに変り始めた——。

遅くなるかもしれないといわれていたので、覚悟はしていたが、チャイムが鳴ったのは十一時五分前だった。

ドアを開けるなり、長身の鍵谷が前のめりに入ってきて、小柄な富佐子の両肩へ押さえるように手をおいた。

「ごめん、待たせて」

顔が赤くて、息が酒臭い。

「課長といっしょだったんで、電話もかけにくかったんだ」

富佐子がコートを脱がせ、鍵谷はネクタイを緩めながらテーブルの前に胡坐《あぐら》をかいた。

「どう、もう少し飲む？　それとも——」

「ご飯、待っててくれたんだろう?」

「ええ……」

「じゃあ、富佐ちゃん食べて。ぼくはお茶をもらうよ」

「お茶だけでいいの?」

「うーん、じゃあビールにしようかな、喉が乾いた」

富佐子は、テーブルにかけておいた布巾を取りのけ、冷蔵庫からビールを出した。

注がれたビールを、鍵谷は三分の二ほど一気に飲んで、富佐子にも「飲む?」と訊《き》く。

富佐子も半分ほど注いでもらった。鍵谷は自分のグラスもいっぱいにして、少し荒い呼吸でそれを眺めている。

「何かあったの?」

富佐子はさっき訊けなかった問いを口に出した。

鍵谷はまだしばらく黙っていたが、充血した目を富佐子に向けるなり、首を傾《かし》げ、妙に子供っぽい表情で眉をひそめた。

「転勤だって」

大きな動悸の波が一回、富佐子の胸を横切った。

やっぱり――。

とうに予感していたような気もした。

「夕方外から帰ったら、支店長に呼ばれてね。今日の行内便で辞令が届いたそうだ」

「どこ？」

「東京」

「ああ……」

富佐子の悲鳴に似た声を聞くと、鍵谷はあわてて宥《なだ》めるように頭を振った。

「いや、東京といってもね、蒲田支店だからもうギリギリで川崎に近いんだ。津田沼とは反対方向だから、家に帰ったりはしないよ」

「……」

「支店の近くにアパートを借りて住むことにする」

「それでもかまわないの？」

「自前でアパートを借りる分には問題ないさ。いや、いずれにせよ、千葉県の津田沼から蒲田までは通勤に遠すぎて、ぼくもそんな無理をする気はない。東京へ帰っても独りでいれば、いつでも逢いに来られるし、君に来てもらうのにも都合がいい」

富佐子の眸《ひとみ》にゆっくりと涙が滲み出すと、鍵谷はそばへ回って来て抱き寄せた。

「大丈夫だよ。ぼくらの間にはなんにも変ったことはないんだ。それはまあ、今までみたいに毎日顔を見るわけにはいかないけど、しかし、いずれぼくが転勤になることは、はじめからわかってたんだからね。むしろこのほうが、いっそ早くきちんとした形をとれるきっかけになるかもしれないんだ。うん、必ずきちんとして君を呼び寄せるから、もうしばらく辛抱して……もちろん、それ以前にもしょっちゅう逢いに来るし……」

富佐子は鍵谷の胸に顔を埋めて泣きじゃくりながら、そう、はじめからわかっていたのだと、心の隅で思ってもいた——。

鍵谷悟は富佐子より三つ下の今年三十四歳で、約三年前の六月に東京の本店から福岡支店へ転勤してきた。妻子もあるのに単身赴任したのは、千葉県習志野市の津田沼にすでに家を持ち、同居している妻の両親がどちらも病気勝ちでその面倒をみなければならないことや、当時六歳になっていた一人娘が都内の名門私立小学校に入学したばかりなど、いくつかの理由が重なってのことらしかった。

福岡では市内のアパートに独り住まいして、仕事は取引先課の外回りだった。スポーツマンタイプの長身で、明朗闊達な印象の彼は行内で人気があり、取引先の受けも好かった。

彼は東京生まれで東京の大学を出ていたが、子供の頃家庭の事情で八幡に住む叔父の家にしばらく預けられたことがあるそうで、こちらの風習などにも多少は馴染《なじ》んでいた。その点福岡を出たことのない富佐子とも話の合うところがあった。

だが、そんな彼と富佐子がとりわけ親しくなったのは、転勤してきて四カ月ほどたった秋頃、彼の上衣の袖口のボタンが二つもとれているのを見つけた富佐子が注意してやったことがきっかけだったかもしれない。その日はそのままにして、翌日別の背広を着てきた彼は、その上衣を富佐子に預けた。富佐子は新しいボタンを買って、全部つけ替えた。二つだけ別のではおかしかったからだ。

以来彼は、そうした身の回りや、台所回りのことなどを、富佐子に頼んだり尋ねたりするようになった。

そのお礼にと、富佐子を二度ほど食事に誘い、クリスマスにはイタリア製のスカーフをプレゼントしてくれた。

その年もいよいよ押し詰った十二月二十九日の夜、二人とも八時半頃まで居残って仕事したあと、彼はまた富佐子を食事に誘い、マンションまで送ってくれた。お茶を飲んでいかないかというと、部屋に上って、それから——二人は自然の成り行きのように結ばれた。

三十日の土曜の飛行機で彼は東京へ帰ったが、一月四日には仕事が始まり、その日の晩彼は再びマンションを訪れて、いっそう情熱的に富佐子を抱いた。

「休みの間、君のことばっかり考えてた。早くこっちへ帰りたくてたまらなかったよ」

鍵谷の妻は、彼が津田沼支店勤務の頃の得意先の石油販売会社社長の一人娘で、そちらの両親に見込まれ、上司にも勧められて早くに結婚したという。家も妻の実家が建ててくれたが、妻は両親への依存が強く、彼の仕事を理解しようとせず、夫婦の間はいつまでもどことなくよそよそしい、といった話を、その後折にふれて富佐子は聞いた。

鍵谷のことばには真実の響きがあり、自分への愛もいいかげんなものではないと信じられて、富佐子は生まれてはじめて味わうほどに幸せだった。それでいて、心の隅では、いつかこれは終ることだと思っていた。福岡採用の自分はいつまでも同じ支店に留まっているが、彼は二年か三年のうちに必ずまたどこかへ転勤になり、それで何もかも終ってしまうのだ。齢上の自分はこのマンションに残され、再び独りになって暮していくのだろう……。

——今夜も、まだ啜《すす》り泣いている富佐子を、彼はベッドまで抱いていった。

いつにないほどの昂《たか》ぶりの中で、彼は何回も繰り返していった。

「家庭のことは、必ずきちんとして、君を呼び寄せるからね、辛抱して待ってて……」

富佐子は、ある瞬間には心底そのことばを信じ、また別の瞬間には、心のどこかでたまらない諦めの寂しさを嚙みしめていた。

ようやく富佐子から離れた彼は、腹這いになって煙草をつけた。

二、三服旨そうに吸って、ふと思い出したようにいった。

「ああ、例のお婆ちゃんの架空名義の定期ね、今度はぼくの代りに君が通帳を預かっといてやってくれないか」

2

転勤後も、彼はひと月に一回くらい富佐子に逢いに福岡へやってきた。金曜の最終便か、土曜の早い飛行機で来て、日曜の最終便でまた東京へ帰っていく。その間は富佐子のマンションに泊った。

福岡では同じ支店の同僚などにばったり会わないとも限らないので、たまには富佐子が東京へ行くようにした。彼は蒲田にワンルームマンションを借りて住み、その時には富佐子がそちらに泊る。

別れている間も、夜の電話で近況を報告しあった。

六月のボーナスが出たあとでは、神戸に一泊旅行することになって、どちらも新幹線で来て、新神戸のホームで落合った。

港に面した高層ホテルのバルコニーで、鍵谷と寄りそって霧にうるむ夜景を眺めた時には、富佐子は自分がドラマのヒロインになっているような気がした。彼は別れる前にいったことを、富佐子が信じた以上に忠実に守ってくれている。そう思うにつけ、富佐子は感謝と幸福で胸がいっぱいになり、一つだけ彼がまだ履行しようとしない約束については、決して自分から催促がましいことはいうまいと、心に誓った。「必ずきちんとして君を呼び寄せる」といったことである。この様子ではそれもいずれきっと実現してくれるだろう。そう信じる一方で、期待してはならないのだと自分を戒めている。実現されなくてさえ、思いもかけぬ幸せにめぐりあったのではなかったか……?

神戸から帰った四日後の六月二十一日木曜の夜、鍵谷から富佐子のマンションへ電話がかかった。

「浅井のお婆ちゃんが今朝亡くなったそうだ」

のっけに彼がいった。

「今日の夕方、山口君が電話で知らせてきた」

「まあ……この間窓口へ来てらしたのに」

「クモ膜下出血で三日入院しただけだって」

「おいくつだったの？」

「七十二。お葬式はあさっての二時だそうだから、ぼくはあしたの晩そっちへ行くよ。やっぱり出たほうがいいと思うし……ちょっとほかのこともあるから」

最後に彼が付け加えたことばを、その時の富佐子は気にもせず聞き流した。神戸での甘美な余韻がまだ心にも身内にも息づいている。それが消えないうちにまた彼と逢えるのがうれしかった。

「浅井のお婆ちゃん」とは、浅井花江のことで、刃物や鍋などの金物を扱う福岡では老舗《しにせ》の卸《おろし》問屋浅井商店の先代社長の未亡人だった。若い頃は夫の仕事を手伝っていたそうだが、現在は家業を長男に譲り、彼女はその家族と同居しながら気ままな暮しをしていた。同年輩の友だちと海外旅行したり、麻雀やパチンコも大好きという元気で気さくな人だった。

福岡支店在勤中、浅井商店の担当だった鍵谷は、本社と住居のあるビルへ、しばしば出入りしていた。彼が居間へ通されて社長の浅井功平と用談していると、花江も顔を出し、用件がすんだあとまで鍵谷を引きとめて話相手にすることも珍しくなかった。彼は功平にもだが、とりわけ花江に気に入られていた。

博多駅裏に、先代が買っていた二百坪ほどの土地が、花江の名義になっていた。本社とも近かったので、今までは倉庫を建てて使っていたが、だんだん手狭になり、それと山陽新幹線開通以来駅裏は急速に発展し、ホテルやマンションが建てこんで地価も高騰している。

あそこを売って、もう少し郊外に新しい倉庫を造りたいと功平が洩らしていた矢先、その土地をぜひ譲ってほしいという話が持ちあがった。駅の表側にある大きなパチンコ店〈プレジデント〉の社長が、そこに二号店を建てたいという。

その話は、最初、プレジデントの社長の永久保が直接花江に持ちかけた。花江は永久保と小学校の同級生で、パチンコ店の常連客でもあった。

その頃たまたま功平がヨーロッパへ旅行中だったりしたことから、花江は、これも気心の知れた不動産業者を中に入れて永久保と話し合い、坪二百万円、合計四億円くらいで売買しようというところまで話が煮つまった。

すると永久保が、「一億円、裏にしてくれないかな」と、花江に囁いた。表向きは三億円の契約にして、一億円は裏金で払わせてほしいという意味である。

「お宅だってそのぶん税金が安くすむよ」

花江は、この段階で、鍵谷にくわしい事情を打ちあけた。

「それでね、あたしとしては、永久保さんの希望通りにしてあげるつもりなのよ。ついでに、功平にも三億円で売ったことにしておこうと思うの」

「社長にもですか？　でもそれじゃあ、社長が安すぎるっておっしゃるんじゃありませんか」

「だけど、あそこはあくまであたしの土地なんだし、永久保さんとは子供の頃からのお付合いで、先代も一時苦しい時にはお世話になったこともあるの。あたしがそう決めたっていえば、功平はなんにもいいませんよ。もともと欲の少ない、おだやかな人ですからね」

「――で、その裏金の一億円は……？」

「架空名義の定期にしておきたいの。――いえねえ、これを手放してしまえば、あたしの名義の不動産はもうなんにも残らなくなるのよ。じゃあ売ったお金はといえば、やっぱり功平が事業につぎこんだり、嫁に行ってる娘たちもなにかとあてにして持っていくでしょう？　齢をとればみんなに世話になるんだから、いやともいえないしねえ。でもあたしだって、一億円くらい、誰にも気兼ねせずに自由にできるお金を持っていたいのよ。ゆくゆくは高級老人ホームへ入りたいと思うかもしれないしねえ」

「なるほど、わかりました」と、鍵谷はその手続きを引受けた。最近では定期預金を作るさい、銀行側で身分証明を求めるようになり、架空名義預金を全廃させる方向だが、昨年七月の当時はまださほどきびしくなかった。

まもなく、表向き三億円で土地の売買契約が成立した。その時には鍵谷も不動産会社の事務所へ出向き、永久保から花江の代理の功平に手渡された三億円の銀行保証小切手を、その足で日東銀行福岡支店へ、浅井花江名義の定期預金として預け入れた。

これで表面的には無事取引きがすんだわけだが、残るは一億円の裏金である。

裏金だからキャッシュで、永久保は二週間後の八月四日、まず四千万円を自分の事務所で花江に手渡した。二人の間でそういう取り決めになっていたのだ。

花江は、裏口に待たせておいた馴染みのハイヤーで日東銀行福岡支店へ乗りつけ、定期預金係窓口担当の吉山富佐子のところへ金を持ちこんだ。

その時までに、富佐子は鍵谷から細かな説明を受けていたし、幸い花江と顔見知りで、好感を持たれてもいたようだ。花江は以前から同じ支店に本名で総合口座があり、時々小遣銭を引き出しに立ち寄っていたからである。

当時架空名義預金はそれほど厳密ではなかったとはいえ、一応禁止されていたので、鍵谷が浅井花江の身許を知った上で架空名義の口座を開くことはまずい。そこで花江は富佐子に「朝丘絹江」と名乗って四千万円の定期預金を作るよう依頼した。富佐子は何も知らない顔でその通りにした。朝丘絹江という氏名は花江の単純な好みで決めたらしく、「朝丘」の印鑑も彼女が専門店に注文して用意していた。大口定期では期限が短いほうが金利が得な場合もあるので、満期は半年とした。

それから一週間後に、花江はまた永久保から受取ってきた三千万円を、同じようにして預け入れた。

さらに一週間後に、三千万円持ちこんだ。

こうして合計一億円の朝丘絹江名義の定期預金が作成された。三口に分けて、一週間ずつ間隔をおいたのは、鍵谷の忠告によるもので、大口の架空名義預金をなるべく目立たせないためだった。

利息が振り込まれるよう、同じ名義の普通預金通帳も作った。

それらが完了すると、花江は鍵谷に「通帳もあなたが預かっといてよ」と頼んだ。

「あたしはのべつ家を空けるし、部屋には息子夫婦や孫たちまで出たり入ったりしてますからね。こんな通帳をしまっといたらいつ見つかるかわからないもの」

銀行では原則として客から十日以上通帳を預かることを禁止していた。

「じゃあ、ぼくが個人的にお預かりすることにしましょう。だけど判こだけはご自分でしっかり持っててくださいよ」

「これくらいは上手に隠しときますよ」と、花江も笑っていた。通帳を預けても、印鑑がなければ金を出せないことは、彼女も十分心得ていたのである。

「利息の通知などは、不要の扱いにしてあります。満期の時の書き替えは、ぼくがお宅へお邪魔した時に印を押していただけばすみますから」

これが昨年八月中旬のことだった。

今年の一月、鍵谷が東京へ転勤するさい、定期と普通の二冊の預金通帳は代って富佐子が預かることになり、花江も承知していた。

二月には、三口の定期預金がつぎつぎ満期となり、そのつど花江は銀行へ来て、富佐子の窓口でまた半年の書き替え手続きをした。利息は税引きで合計二百八万円付いていたが、花江は百八万円を普通預金に入れ、百万円をキャッシュで持ち帰った。

あのあと四カ月あまりで亡くなったことになる。山口という行員が鍵谷のあとを引き継いで浅井商店の担当になっていたので、彼が花江の訃《ふ》を東京の鍵谷に伝えたようだ。鍵谷も転勤してまだ四カ月、それまで贔屓《ひいき》にしてもらっていた得意先なので、わざわざ福岡へ出向いて葬式に顔を出すのが礼儀だと考えたのであろう。

鍵谷からの電話の段階では、富佐子は単純にそう思っていた。

六月二十二日金曜の最終便で福岡へ着いた彼は、その足で浅井家の通夜に行き、翌土曜日の午後二時から市内の寺で行われた葬儀にも出席した。火葬場まで付合い、夜九時すぎに富佐子のマンションへ帰ってきた。

富佐子に塩をかけてもらって、部屋へ入った彼は、食事は先方で出されたからと断った。

「功平さんの話では、夜急に頭が痛いといい出して、彼が自分の車で行きつけの病院へ運びこんだんだが、まもなく意識不明になって、そのまま三日後に亡くなったそうだ」

「でもそれなら、ご本人はそんなに苦しまれなかったわけね」

「うむ、その代り、遺言もなんにもなかった……」

どこか重苦しい口調で呟《つぶや》いた鍵谷は、富佐子が淹《い》れた昆布茶の湯呑みを手にとり、いっときその底をみつめていた。

顔をあげて、

「支店長や山口君も葬式に来てたんだけどね、例の件は誰一人知らないみたいだ」

「……？」

「架空名義の定期のことだよ」

「ああ……」

「通帳はまだ君の手許にあるんだろう？」

「ええ」

鍵谷はまたしばらく黙っていたが、一口お茶を飲んでから、

「あの、朝丘絹江名義の定期を作った時、来店日誌には書かなかったんだろ？」

「ええ、あなたが、とくに書く必要ないよっていったから」

「三回とも？」

「ええ、書かなかったわ」

富佐子たち窓口係は、毎日〈来店日誌〉にその日とくに印象に残った出来事などを記して、支店長が目を通す慣わしになっている。三千万円や四千万円とまとまった定期預金が作られた場合には、書くほうがふつうで、すると支店長が見て、どういう人かと尋ねただろう。そしてふつうなら、架空名義の事情まで報告していたところかもしれなかった。

が、「とくに書く必要ないよ」と、何気ないふうにいった鍵谷のひと言で、富佐子はいっさい書かなかった。その結果、合計一億円の定期預金は、支店長や上司の注意を惹

くこともなく、事務的に銀行のコンピュータに入力されただけだった。

「つまり、誰も知らないわけだ、あの定期の本当の預金者が浅井花江さんだってことを。今となっては、ぼくらのほかにはね」

「でも、印鑑は浅井さんが持ってらしたんだから……」

「もちろん印鑑はお婆ちゃんが自分の家のどこかにしまいこんでるさ。しかしたとえそれを家族が見つけたって、何の判こかわからないだろう」

「でもだからって、判がなければ——」

いいかけたことばの意味に気が付いて、富佐子は思わずドキリとして口をつぐんだ。だが、鍵谷がつぎにいったことは、富佐子にいよいよ心臓が止まりそうなショックを与えた。

「改印届を出せばいいわけだよ。君の知合いだといって、熟知扱いで」

「……」

「本人は入院中で来られない、お届け印を紛失してしまったので、これに変えてほしいと、新しい印鑑を郵送してきた。折返しこちらから電話で確認したが、まちがいないといえば——」

確かに、預金の届け印を改印するさいには、いろいろと厄介な証明書などが必要だったが、例外的に「熟知扱い」という制度が設けられていた。預金者が行員の熟知した人物で、それなりの事情があれば、行員が代りに書類を作って改印することができる。

「通帳を出してごらん」

鍵谷はことさら事務的な口調でいった。

富佐子は簞笥の小引出しから二冊を出して、テーブルの上に置いた。

「最初に四千万円の定期をつくったのが去年の八月四日、つぎの三千万が十一日、最後が八月十八日か……」

通帳をめくりながら彼がいう。

「七月に改印届を出したらどうだろう。八月の満期は、全部あと半年継続する。それから、つぎの満期が来た時に、定期を解約して、何回かに分けて別の口座へ移す。もちろんよその銀行に口座をつくって」

「福岡の？」

鍵谷はちょっと瞬きを止めていたが、

「うん、福岡にしよう。君に管理してもらえばいいんだから」

要点はすっかり話し終えたというふうに、彼は息をついて、改めて富佐子の眸を覗きこんだ。

「どっちみち浅井さんとこは大金持なんだし、誰に迷惑がかかるってものでもないんだ。それより、この金はぼくらの今後の生活設計に充てよう」

「……」

「いや実はね、家のほうをきちんとするといっても、一方的にこちらの勝手を押し通すわけだから、相当な慰謝料を請求されるかもしれない。それを考えると軽々に切り出せないでいたんだけど、これでなんとかなるだろう。残りは……そうだ、ぼくらがいっしょに住むマンションを買おう。それを先にしてもいいな!」

鍵谷は急に、何か楽しいことを思いついた子供のような表情になって、笑いながら富佐子を抱き寄せた。その勢いで彼が後ろへのけぞったので、男の胸にあずけた富佐子の上半身が回転し、頭の中もグラリと傾ぐような感覚のうちに、何もかも彼に任せてしまおうと思っていた。

3

富佐子は鍵谷の指示通りに実行した。

〈朝丘〉の印鑑をデパートで注文して作り、七月早々に〈熟知扱い〉で紛失改印届を出した。

一方、日東銀行福岡支店から地下鉄で二駅西の繁華街にある地元の玄海銀行本店に〈朝丘絹江〉名義の普通預金口座を開設した。

改印の手続きが完了すると、手始めに、百八万円溜っている利息のうちの七十万円を、玄海銀行の口座へ振り込んだ。窓口にいる富佐子自身が用紙に記入し、印を捺し、通帳に添えて後ろへ回せばいいのだ。

八月の満期には、三口の定期をまた半年継続する手続きをした。改印した翌月に解約して、万一不審を買ってはならないからだ。合計二百八万円の利息は、普通預金口座へ入れ、ついでに、どこでも金を出せるキャッシュカード作成の手続きもとった。

それ以後は、二人の逢引き費用はそこから出すことになった。九月の週末には、京都へ旅をして、高級旅館で二泊した。

十一月の連休は、富佐子が上京し、日光まで足を延ばした。

翌年の二月、三口の定期預金の半年の満期がまためぐってきた。今度は満期ごとに、富佐子が解約の手続きをとり、順に玄海銀行の口座へ振り込んだ。日東銀行の普通預金は、二人で旅行や買物をするたびに減り、残高が百万円を切っていたので、合計二百八万円の利息は、またこの口座に入れておいた。

鍵谷は鍵谷で、「いっしょに住むマンション」を物色していたが、一月に適当なものを見つけ、預金が満期になるのを待ち構えていた。品川区八潮にある高層の一戸が中古で売りに出ているそうで、３ＤＫで五千万円だという。

「もともと都の住宅供給公社の分譲だったので割安なんだよ。十一階だから、東京湾が一望にひらけて、夜は羽田空港のライトがすごくきれいでねえ。八潮からだと蒲田支店まで三十分以内で通えるしね」

彼はいった。

そのことが、銀行に対しても、鍵谷の家庭に対しても好都合な理由付けになるのだと彼はいった。つまり、銀行には、投資を兼ねて妻の実家がそこを買ったことにしておく。鍵谷の妻の実家が資産家であることは周囲に知られていたので、誰も不自然には思わない。一方妻に対しては、銀行が社宅として買って、鍵谷を入居させたと説明するのだそうであった。

「決める前に君も一度見にくればいい」と彼はいったが、富佐子は彼に任せることにした。東京の地理や事情は富佐子にはわからないし、彼が気に入ったのなら、きっといいのだろう。

二月十日すぎには、鍵谷の名義で八潮のマンションが購入された。この時には、富佐子が日東銀行から玄海銀行へ移したばかりの金のうち五千三百万円をキャッシュで出し、それをまた別の都銀へ持ち込んで、彼がそこと同じ都銀の八潮支店に開設した彼名義の口座へ振り込んだ。不動産会社の手数料やマンションの内装を新しくしたり、家具を買い入れる費用も含めての金額だった。

ところが実際には百万円近く予算をオーバーしてしまい、その分は本来の鍵谷の預金から賄《まかな》ったので、彼の日東銀行蒲田支店の普通預金口座が底をつきそうだといってきた。それで富佐子は、玄海銀行からさらに百万円キャッシュを出し、彼の口座へ〈振込人同人〉として振り込んだ。

二月末に、富佐子ははじめてそこを訪れた。想像以上に東京湾の眺めがすばらしく、ベランダから潮の香を含んだ風が流れこんでくる。きらびやかな夜景は神戸のホテルを思い出させてくれた。

壁紙や絨毯や家具もみんな新しいマンションは、富佐子には本当に〝新居〟という感じがした。

「ずっとここで暮せるといいのに」

「今年中には必ず家のほうと話をつけるよ」

今後はそのための金も必要になると覚悟しておかなければならないと、鍵谷はいった。

そこで富佐子は、福岡へ帰るとすぐ、玄海銀行の口座に残っていた四千七百万円のうち、三千万円をまたキャッシュで出し、別の都銀の八潮支店の鍵谷名義の口座へ振り込んだ。

彼が東京へ転勤した頃には、彼のことばをあてにしてはならないと自分を戒めていた富佐子だったが、だんだんその約束が心の中で大きな位置を占め始めていた。

彼はいつ、離婚を妻に切り出してくれるつもりだろう？

うまく話がつけられるだろうか？

不安や期待がたえず意識の隅で息づいている。

そのせいで、富佐子は自分たちが犯した罪をしばしば忘れていた。実際、定期預金をつぎつぎ解約して玄海銀行の口座へ振り込む時には、手続きは簡単でも内心はビクビクして周囲の顔色を窺っていた。が、大部分の金を移し終えたあとでは、もう不審を抱かれる危険さえほとんど考えられなかった。発覚の恐怖は、富佐子の中で不思議なほど欠落していた。

三月二十日水曜の昼まえ、行内の廊下で、富佐子は定期預金課の清水課長と、取引先課の山口が話しながら歩いてくるのに行き会った。二人ともやや緊張した面持ちで、主に山口が喋っていた。

「何しろ抜き討ちのササッを食らって、プレジデントでもどうしようもなかったらしく――」

すれちがった時、山口がそういっているのが耳に入った。

廊下の角を曲ってから、富佐子は立ち止まり、突然ふっと、目の前が揺らぐような感じに襲われた。

「ササッ」とは、国税局の査察のこと以外には考えられない。そして「プレジデント」というのにも聞き憶えがある。浅井花江の土地を買ったパチンコ屋の名前がそれではなかったか?

おそらくプレジデントの事務所が国税局の抜き討ちの査察を受けたのだ。浅井商店の現在の担当者である山口が、それを聞きこんだのであろう。

しかし、だからどうなるというのか?

それ以上のことは富佐子にはわからない。わからないでいながら、ただならぬ衝撃感が先に来ていた。

昼休みのあとも、富佐子は清水と山口の様子にそれとなく注意していたが、山口はいつになくしばらく店内に居残り、清水はたびたび電話をかけていた。

女子行員の勤務は五時十五分に終り、銀行を出るのはたいてい五時半すぎになる。富佐子は大急ぎで自宅へ帰った。とにかく小耳に挟んだだけの情報でも、鍵谷に伝えておいたほうがいいと思った。客を装って彼のいる蒲田支店へ電話をかけるつもりだ。

ところが富佐子が部屋へ入ってコートを脱いでいる間に電話が鳴り、取ると鍵谷だった。

「ちょっと厄介な事態が起きてる」

その口調も緊迫していた。

「今どこから？」

「得意先からの帰りなんだが。今日の昼休みのあと、出掛けようとしてたら、山口君から電話があった」

「うちの？」

「そう。パチンコ屋の永久保さんとこに、今朝いきなり国税局の査察が入ったそうだ。くわしいことはあとで話すけど、とにかくそれで一億円の裏金がばれてしまった。使途を追及されて、永久保さんが白状したらしいんだな、浅井花江の土地を買った時、一億円裏にしてもらったと」

「……………」

「お婆ちゃんは死んじゃってるから、功平さんに問合わせがあったわけだが、彼はそのことを知らなかった。一億円の行方も当然わからないと答えて、福岡支店の山口君に訊いてきた。心当りはないかと。しかし当時の担当はぼくだから、彼がぼくに電話してきた。ぼくももちろんわからないといっといたが、国税局の調査は今後も続くだろう。浅井商店側にも脱税の疑いがあるわけだからね」

富佐子も、山口たちが話していたことを伝えた。

「国税局が福岡支店へ来た様子はないか」

「さあ、それは気が付かなかったけど」

「あしたは祭日だから、あさってあたり来るんじゃないかな」

「それで、どうなるの？」

鍵谷はいっとき沈黙していたが、

「あしたぼくがそっちへ行くから」と低い声で答えた。

三月二十一日木曜の春分の日、彼は東京からの一便で着き、午前九時半頃富佐子のマンションへ姿を現わした。

「――プレジデントでは、毎日の売り上げから二、三十万抜いては裏金を作っていたらしい。よその銀行の架空名義の預金にしてあったんだが、抜き討ちの査察で何もかも見つけ出されてしまった。その通帳では、昨年八月に一億円キャッシュで出金されている。その金はどうしたと詰め寄られて、永久保さんが吐いちゃったんだな」

鍵谷は山口から聞いたいきさつを説明した。

「調査官がさっそく浅井功平さんに問い糺《ただ》したが、彼はほんとに知らないという。自分は三億円の契約書しか見てないと。どうやら嘘でもないらしいので、すると亡くなったお婆ちゃんがどこかに内緒で預金していた公算が強い。それで山口君に問合わせて、彼がぼくに訊いてきたわけだ」

「今後はどうなるの？」

富佐子は昨日と同じことを尋ねた。

「国税局ではあくまで一億円の行方を追及するにちがいない。預金はうちだけとは限らないが、まあお婆ちゃんが付合ってた金融機関は数が知れてるし、中でもぼくがとりわけ気に入られてたことも周囲にわかってるから、やっぱりうちの福岡支店あたりが重点的に調べられることになるだろう」

「どんなふうに？」

「明日にはたぶん国税局の調査官が福岡支店へ来ると思う」

鍵谷は奥歯を嚙みしめたような表情で富佐子を見た。

「土地の売買が成立して、三億円の銀行保証小切手がうちへ持ちこまれたのが、一昨年の七月二十一日だった。その日から、大口預金を順に一件ずつチェックしていくんじゃないかな。浅井花江本名のものがあれば一発でわかるわけだが、それはないから……」

「一件ずつ預金者をチェックして、架空名義があればすぐ疑われるでしょうね」

「朝丘絹江名義で最初の四千万を預け入れたのが二週間後の八月四日だから、そこまでいくのにある程度の時間はかかるね。しかし、いったん調査官の目に止まったら、ピンとくるだろうな、三件で合計ちょうど一億円だし」

「伝票を見れば私が受付けたこともわかるわ」

「いや、窓口の受付けだけなら、どこの誰か知らないといって、シラを切り通せるかもしれない。しかし、改印している」

「ああ……」

富佐子はうっかりそのことを失念していた。だが、いわれてみれば、富佐子が「熟知扱い」で改印届を出し、その後玄海銀行への振込み依頼書を作ったのも自分である。さらに玄海銀行では何回も多額のキャッシュを引き出したから、顔を憶えられている。窓口のビデオカメラにも写っているにちがいない。

「最悪の場合には、二、三日のうちに朝丘絹江の預金が調査の対象に浮かび、マークされたが最後、君は言い逃れできない立場になるだろう」

「それはつまり、私が、浅井花江さんの架空名義の預金を、本人が亡くなったあと……」

横領、ということばが、どうしても喉から出なかった。

「もともとぼくがいい出したことだ。絶対発覚しない自信があったんだが。君を大変な立場に追いこむ結果になって……すまない」

鍵谷は、胡坐をかいた膝に両手を置き、富佐子に向かって深々と頭をさげた。

そのままいつまでも顔をあげないので、富佐子は鍵谷が泣いているのかと思った。

が、彼は一度大きく息を吸いこむなり、険しく眉をひそめ、乾いた目で富佐子を凝視した。

「ぼくは昨日からずっと考え続けてきたんだが、これでもし君が捕まり、金の使途を追及された場合、ぼくとの関係も隠しおおせないと思う。すると二人が共犯で逮捕された上、銀行からは一億円の弁償を求められる。銀行はひとまず浅井さんに弁償して、その損害賠償をぼくらに請求する形になるだろうから。そうなれば二人とも破滅だ。前科と債務に一生つきまとわれ、二度と浮かびあがる望みはない」

「………」

「そこで、富佐ちゃんに頼みがある。ここはひとまず君一人がやったことにして、自殺を装って姿を消してくれないか。いや、もちろん何もかもぼくが手助けするし、その後のことも、すべて責任をもつ。一生、君といっしょに罪を背負っていく」

「………」

「ぼくは大学の法科を出てるから、同期に何人か弁護士がいる。昨日の晩、自分とは無関係な話として、それとなく尋ねてみたら、ぼくらの罪は正確には詐欺に当るらしい。有印私文書偽造同行使詐欺になるだろうと。詐欺は十年以下の懲役で、従って公訴時効は七年だ。それから、銀行がぼくらに損害賠償を請求できる民事上の権利は、損害と加害者を知った時から三年で時効になる。要するに、七年間身を潜めていれば、あとは出てきてもいいわけだ。もちろんずっとぼくがそばにいる。ぼくだってあとしばらくして銀行をやめるよ。やめてしまえば、七年後には誰憚らず君と結婚できるってもんだ」

「……でも……七年も隠れてるっていったって……」

「だから自殺を擬装するんだよ。十中八九死んだと判断されれば、警察だってほどほどで捜査を打ち切るだろう」

「どうやって……？」

「海がいいと思う。海なら遺体が上らないこともありうるし、君が泳げないことは周囲のみんなが認めるからね」

「ほんとにカナヅチなのよ」

「ほんとに海へ入る必要はないんだよ。そのへんはぼくに任せろ。ただ、いよいよとなったら果敢に行動して、失敗は許されない。だから、あらかじめ適当な現場を下見しておいたほうが安全なんだ」

「下見……？」

「海を見にいくんだよ。それには車があったほうが便利だろうと思って、今空港からレンタカーを借りてきてるんだよ」

「……」

事態があっというまにそこまで切迫していたことと、それから、鍵谷の手回しのよさに、富佐子はただただ唖然としていた。

4

鍵谷はその日の最終便で東京へ帰った。

翌三月二十二日金曜、富佐子はいつもの通りに出勤した。

午前中は何事もなくすぎるかと思われたが、十一時半頃、紺の背広を着た四十歳代と二十代後半くらいの男の二人連れが表口から入ってきて、富佐子から少し離れた女子行員のいる窓口へ歩み寄った。一見してふつうの客ではないと感じられた。

女子行員は窓口を離れ、定期預金課の清水課長の席へ行って何か告げている。清水がすぐ立ちあがり、戻ってきた女子行員はカウンターの端にある扉を開けて、男たちを請じ入れた。応接室のほうへ案内していく。

その後二十分ほどたった頃、内勤の若い男子行員が富佐子のそばへ来て囁いた。

「清水課長が、一昨年七月の定期預金の伝票を出して、応接室へ持ってきてほしいということです」

インターフォンで指示があった様子だ。伝票を整理して書庫に保管するのは富佐子の担当になっている。

富佐子は窓口を別の女子行員に頼み、奥の書庫へ赴いた。ロッカーの鍵を外し、束になった伝票を取り出す。一昨年七月なら、いうまでもなく浅井花江の三億円の土地代金が預け入れられた時期である。鍵谷の予測通り、その周辺の大口預金が調査の対象になるのだ。

さっきまでまだどこか嘘のように感じられていた事態が、着々と現実になりつつあった。

応接室へ行くと、支店長と清水が、先刻の二人連れと対座していた。テーブルの上に開かれた帳簿を指さして、清水が喋っている。帳簿は〈大口入金記録表〉と呼ばれるものので、伝票の内容が転記されている。それはマイクロフィルムでも保管されているから、たとえ伝票を抜きとっても、むしろ疑いを増すだけのことだった。

まもなく昼休みになった。十一時半からと十二時半からとの各一時間、行員が半分ずつ交替で休みをとる。富佐子は十二時半からだったので、休み時間がくるなり、裏口から外へ出た。

行内からでは見えない公衆電話まで走って行き、蒲田支店へかけた。客を装って、鍵谷を呼んでもらう。彼が出ると、さきほどからの状況を伝えた。

「そうですか。では、やはり今日がいいと思います。私は必ず三時にお伺いいたしますから」

噛んで含める口調で彼が答えた。

「玄海銀行の預金は？」と富佐子が訊く。

「それは……そのままで結構です」

最後の迷いを押さえつけるように、彼は低い声に力をこめた。

「今日がいい」とは、今日、打合わせ通りに決行するという意味だ。玄海銀行福岡本店の朝丘絹江名義の口座には、まだ約千七百万円の残高がある。富佐子が姿を消す時、その金を出して行きたいのは山々だが、それだけ擬装自殺の疑いを濃くする危険性もある。

どうするか、考えておくといって彼は東京へ帰ったのだが、ギリギリで金は残していく決心をつけたのだろう。

銀行へ戻った富佐子は、午後二時頃にも、清水に、一昨年八月以降二カ月間の伝票を応接室へ届けるようにといわれた。八月分の中には、いよいよ朝丘絹江名義の定期三件が含まれている。

応接室では、二人の男と清水課長との三人になり、灰皿の吸殻が盛りあがっていた。富佐子が新しい灰皿を持って再び入室した時には、男の一人が受話器を顎の下に当て、メモを取りながら喋《しゃべ》っていた。預金者の身許を電話で確認しているのだと、富佐子は直感した。

それからの時間は、富佐子にとって、一秒一秒が生命の縮むような恐怖の連続であった。今にも誰かに「ちょっと」と背中を叩かれそうな気がする。

「課長がちょっと訊きたいことがあるそうです」――

今日おめおめと出勤したことがまちがいだったのだ。気分が悪いからといって早退したい誘惑にも駆られたが、それをいった瞬間に身柄を押さえられそうで、なんとか踏み留まった。

三時にはいつもの通り表のシャッターが降ろされた。

閉店後はその日の伝票や書類の整理をしながら、富佐子はたえず時計を覗いている。

四時半頃、「本日の計算は合いました」という集計担当者の店内放送が流れ、毎日のことながら、ホッとした空気が漂う。国税局の調査官が来ていることなど、周囲の者はほとんど知らないし、明日からまた二日休みなので、なおのことみんなくつろいだ気分になっている。

五時が近付き、女子行員たちはデスクの上を片づけたり、書類をしまい始めた。調査官たちもそろそろ調査を打ち切るのだろうか。それとも居残って続けるつもりか？

いずれにせよ、今日の定時に富佐子が何もいわれず銀行を出られたら、彼らの調査はまだ〈朝丘絹江〉まで及んでいないということではないか。

来週の月曜に再開されれば、たぶんその日のうちに発見されてしまうだろう。だがもうその時自分はここにはいない――。

と、すぐ後ろの席の男子行員の声が、ふいに富佐子の耳にとびこんできた。

「そういえばこの間偶然キイさんに会ったよ」

「キイさん」ということばが、いきなり富佐子の脳髄に突き刺さるように感じられた。それはこの支店にいた頃の鍵谷の愛称だった。

「東京で？」と別の若い声が問い返す。

「うん、先週出張した時、土曜に親父の家へ寄った帰りに日本橋を歩いてたら、キイさんがデパートから出てきてばったり会ったんだよ」

その行員も実家は東京だが、妻子といっしょに福岡へ赴任していた。

「奥さんと娘さんもいっしょでねえ。可愛い女の子なんだ。その子が千葉の津田沼から四谷の私立の小学校へ通ってるんだが、通学に一時間以上かかるんで、そのうち一家で東京へ引越すかもしれないといってた」

「奥さんのご両親が病気勝ちだから、それで奥さんが千葉を離れられないとかいうんじゃなかったですか」

「うん、でも今は二人とも大分元気になってきたらしい。まあキイさんだって、いつまでも単身ではしんどいだろうからねえ」

富佐子は突然、頭の中が真っ白になったような感覚に襲われていた。

いつまでも単身ではしんどいだろうからねえ……。

奥さんと娘さんもいっしょでねえ……そのうち一家で東京へ引越すかもしれない……。

真っ白で真空になったような頭の中で、今聞いたことばだけが異様に明確に反復されていた。

ようやくそれが少し遠のくと、富佐子は何かを急に思い出して目がさめた瞬間に似た感じを覚えた。

そう、はじめからわかっていたじゃないの、いつか何もかも終ることだと。

だからなんにも期待してはいけないのだと、自分を戒めていながら、いつのまにかその諦めを忘れていた……。

いつか終ると思っていたのは、鍵谷との関係である。そのあとでは、自分はまた両親の残してくれた古いマンションで、独りひっそりと暮していくのだろう、と——。

しかし、自分たちはもう引き返せないことをやってのけてしまっている。諦めるだけではすまないのだ。鍵谷にしても、たとえ富佐子が何も求めずに別れるといったとしても、何事もなくもとの生活に戻ることはもはや望めなくなっている。

そこで彼は、最後の手段として、一つの計画を思いつき、今日実行に移そうとしている。「いよいよとなったら果敢に行動して、失敗は許されない」という計画を。

そう、きっとそれは本当に最後の手段なんだわ……。

今日一日、富佐子は一秒一秒恐怖に苛《さいな》まれ、たえず周囲の気配に神経を尖《とが》らせてきた。だが、つい今しがたから、富佐子の心は突然別の精神集中に切り替っていた。外界に対して身構えるのではなく、眸は虚ろに空間へ開かれ、ただ自分の心の底だけを凝視していた。

それで、あれほど五時十五分を待ちわびていたのに、気が付いた時には五時半を大分すぎていた。

富佐子はまだ上の空で席を立ち、ほかの行員たちと挨拶を交わした。

通用口から銀行を出た。

表口へ回ると、正面玄関のシャッターは降りているが、横のキャッシュコーナーは開いている。カードによるＡＴＭ（現金自動預け入れ支払い機）は、閉店後も午後七時まで利用できるのだ。

富佐子はいっとき足を止め、急にそこへ立ち寄った。それから、地下鉄の駅へ向かった。

自宅マンションへ帰り着くなり、昨日下見しておいた旅館の一軒に電話を入れた。鍵谷との取り決め通りの行動が開始されていた。

5

福岡市の西北端に、糸島半島が張り出し、その尖端近くに西ノ浦という鄙《ひな》びた漁港がある。小さな漁船が繋留されている入江の外れには、三、四軒の古い旅館が立ち並んでいた。その中の〈ますや〉へ、富佐子は自宅から電話して今晩の宿泊を予約した。幸い部屋があいていたので、最初の一軒で決まったわけだった。

富佐子のマンションからそこまでは、タクシーで四、五十分で、九時には旅館に着いた。遅くなることもあらかじめ断わって、東京から気ままな独り旅にきたＯＬが、福岡市内より海辺で泊りたくなったように匂わせてあった。

一階の座敷へ通され、宿泊カードには偽名と東京の住所を記入した。

出された食事に形ばかり箸をつけ、すぐ床をとってもらった。仲居が布団を敷いている間に、玄関へ行き、さっき下駄箱にしまわれた自分の靴をとってきておいた。明日はゆっくり寝たいから、こちらから呼ぶまで起こさないでいいと、仲居に告げた。

電灯を消して、布団に入った。

しばらくは人声がしていたが、それも途絶えると、小さな旅館の中は静寂に包まれた。

波の音が枕のきわまで響いてきた。

富佐子はじっと目をつむって、けんめいに心を静めようとしていた。鍵谷との馴初めからの、幸せな思い出だけを脳裡に浮かべた。浅井花江が亡くなって以後のことは記憶から閉め出した。蜜月はあそこで終ったのだ。いつ終っても望外の幸せだったと、そう思っていたじゃないの？

両親の俤《おもかげ》が瞼に浮かんだ。

「お許しください」と富佐子は呻《うめ》くように口走り、あとは胸のうちで呟いた。

もうじきおそばへ参りますから――。

午前二時半になると、富佐子は布団から抜け出した。

身仕度をして、自宅で用意してきた封筒をテーブルの上に置いた。中には便箋一枚に、〈ご迷惑おかけいたしましたことを深くお詫び申し上げます。吉山富佐子〉とだけ記してある。

封筒のそばに、宿泊代として二万円置いた。

縁側はガラス戸とカーテンだけだった。座敷が二階だったら、廊下からの出口などを見つけておかなければならなかったが、その手間も要らなかった。

錠を外してガラス戸を開けた。

戸外の寒さは思ったほどではなく、風が少しある。潮の香と、思いがけず沈丁花がふくよかに匂っていた。

小型のボストンバッグ一つを腕に通して、靴をはき、庭へおりた。

玄関前の私道から、いったん外の道路へ出た。少し行った先に海辺へ下る細い道がついている。一昨日下見した時の心憶えと、わずかな星明りが頼りだ。

寒さは感じないが、富佐子は震えながら歩いた。

石段をいくつか下ると、砂地にヒールがめりこんだ。

旅館の方向へ戻る。

旅館は砂浜に張り出した恰好で建てられ、一階の床は柱で支えられている。それも昨日見た通り、柱の間にボートが伏せてある。星明りでぼんやり認められた。

富佐子はそのそばまで行って、足を止めた。

旅館の床下の奥は黒々とした闇をたたえていた。海の方へ目を向けると、十メートルくらい先でさほど高くない波が砕けている。海面はまるで古い包丁の刃のような黒ずんだ鈍い光をたたえてうねり、沖合いには灯火一つ見えなかった。

かつて経験したこともない、圧倒的な恐怖が富佐子を搦めとった。異様に身体が震えた。逃げようと思うがいうことをきかない。呻きを洩らし、足を踏みしめて、やっと向きを変えたとたん――

「ああっ」と富佐子は悲鳴をあげた。すぐそこに高い影が立っていた。鍵谷だと直感されたが、シルエットが妙につるりとした人形《ひとがた》のようだ。

「待った?」と彼が訊いた。富佐子は頭を振った。

「ぼくも今さっき着いたとこだ。誰にも見られなかった？」

「……」

鍵谷が一歩近付いた。

「あ、あたしが、自首して……絶対あなたのことは……絶対……」

いわないから助けて——といおうとするが、満足に声にならない。

鍵谷が小さく頷《うなず》いて、

「じゃあ、すぐやろう」

彼がボートのほうへ屈んだ時、スキューバ・ダイビングの黒いウエットスーツを着ていたのに富佐子は気が付いた。それを着れば寒中でも楽に泳げる。彼がそういっていたことも忘れていた。

「君はここで待っていい」

彼は力をこめてボートを引っぱり出した。

上向きにして、砂の上を押していく。

波打際の先で、自分が乗って漕ぎ始めた。

三十メートルくらい沖まで漕いで行ったのだろうか、そこで彼が立ちあがって、海へ入る動作が認められた。

泳ぎ戻った彼は、荒い息を弾ませながら、また富佐子のそばへ走ってきた。富佐子の全身が硬直した。

彼は暗がりに置いてあった自分のスポーツバッグを開けた。ウエットスーツを脱ぎ、バスタオルで身体を拭くと、下着を身に着け始めた。

「オールも流してきた。それでいっそう、君が海へとびこんだという印象が強くなるだろう」

「………」

「やっぱりここは外海だね。近くに島もないし、潮の流れも速そうだから、遺体が見つからなくても不自然とはいいきれないよ。――ウエットスーツをバッグに入れて」

富佐子はいわれた通りにした。思考が半分麻痺して、判断力を失っていた。

セーターとズボンに着替えた彼は、残したものはないかと、素早く足許を見回した。

それから、向き直って息をこらした。

富佐子の首の左右に両手をかけた。富佐子は再び激しく震え出した。

彼の手は、首のそばから背中へ回され、いきなり引き寄せるようにして歩き出した。

「さあ、急いで」

6

ブルーの小型車が、さっきの旅館から三百メートルほど離れた疎らな松林の中に駐めてあった。

富佐子を助手席へ促し、鍵谷は運転席にとび乗ってエンジンをかけた。

「この車は……」

走り出してしばらくしてから、富佐子が囁くように尋ねた。喉が詰ったみたいで、大きな声が出ない。

「八幡の叔父さんとこで借りてきた。予定通りだよ」

鍵谷の両親はすでに亡いが、母方の叔父が八幡で鉄工所を経営している。彼は小学校の頃一時そちらへ預けられたこともあって、叔父夫婦がいつまでもわが子のように可愛がってくれると、以前から聞いていた。

もう昨日になる金曜の昼休み、富佐子からの電話に「決行」のサインを出した彼は、その後も何食わぬ顔で夜七時まで勤務した。幸い蒲田支店は羽田空港と目と鼻の先にあり、支店から空港へ直行して、八時十分発の福岡行最終便に乗った。一昨日からすでに今日の可能性は予期していたので、朝出勤前に航空券を予約し、ウエットスーツなどを入れたスポーツバッグも羽田空港のコインロッカーに預けておいた。叔父の家へは航空券のチェック・インをしたあとで電話を入れ、車を借りに行く了解を得た。

「最終便の福岡着は、定刻なら九時五十分だけど、実際にはたいてい羽田の出発が遅れて十時半近くになるからね。レンタカーの営業所はその時間では開いてないし、どうしても金曜の夜から車が要るということにして借りてきたんだ」

「新幹線で……？」

「ああ、博多発十一時三分というのに間に合った。小倉からタクシーで、叔父の家にはちょうど十二時頃着いたかな。夕飯をご馳走になって、一時半頃この車を借りて出てきた。割とゆっくり走って三時前にあそこへ着いて、車の中でウエットスーツに着替えた……」

午前三時に、あそこのボートの前で——いざという場合に落合う時刻と場所を決めて、一昨日の木曜の夜、鍵谷は東京へ帰っていった。恐れた通り、金曜の昼前から福岡支店に国税局の調査官が訪れ、電話で「決行」を確認したあとは、それぞれが示し合わせた行動をとってここへ来たわけだった。

昼間電話で聞いた福岡支店の様子を、鍵谷は改めてまたくわしく尋ねた。

「月曜には絶対発覚してしまうだろうな。土日が挟まってて幸いだった」

彼は富佐子と同じ観測をのべた。

「——で、旅館には書き置きも残してきたね？」

「ええ……」

「よし、これで擬装工作は完璧だ。泳げない君が、夜中に沖までボートを漕ぎ出して、投身自殺したと考えられるだろう。——疲れただろ。シートを倒して眠っていいよ」

富佐子は頷いて、シートを少しだけ倒したが、とても眠るわけにはいかない。目を開けたり閉じたりしながら、時々鍵谷の横顔を見守っていた。

深夜の福岡市内を疾走した車は、九州自動車道へ上って、いちだんとスピードを加えた。午前四時十五分。

鍵谷は眠気防止のためか、カセットの音楽を小さく流し、前方を睨んで高速運転を続けている。今すぐ何かの行動に出るような気配は感じられなかった。

富佐子は、いつのまにかまどろんだらしかった。

目を開けると、空がうっすら白んでいる。

車のデジタルは五時四十二分を示していた。

「どのへん？」

「中国自動車道の、もうじき鹿野《かの》サービスエリアだ。一休みしていこうか」

「ええ……」

こんな明け方のサービスエリアには、ほかの人もいるだろうか。もし車外が無人だったら——？

恐怖がまた富佐子の心を鷲摑みした。

鹿野サービスエリアには六時十分頃着いた。空はかなり明るくなっている。

駐車場のあちこちに大型トラックが駐まり、レストランでも運転手らしい人たちが食事していた。

二人はコーヒーを飲み、六時四十分に出発した。

約二時間後、大佐《おおさ》サービスエリアで朝食をとった。もう岡山県に入っている。うっすらと靄のかかった青い空がひろがり、中国自動車道は少しずつ車が増えていた。

「やっぱり有馬温泉まで行くつもり？」

再び走り出してから、富佐子が尋ねた。

「うん、この調子だとちょうどお昼頃着けるんじゃないかな。ぼくもそのへんでちょっと限界の感じだしね」

金曜の夜東京を発った鍵谷は、福岡から八幡へ行き、そこから運転しづめのわけだった。途中ではボートを漕いだり、泳いだり……。

「有馬の、どこへ？」

「旅館がとれてる。どんな旅館かわからないけど、幸い一組キャンセルがあったそうで」

「いつ予約したの？」

「昨日の夕方だよ。羽田空港でチェック・インしたあと、叔父の家へ電話して、それから旅行案内書に出てる旅館に片っ端からかけたんだ」

相変らず、なんてこの人は手回しがいいのだろう。

「有馬温泉って、名前はよく聞くけど、どんなところ？」

「神戸の六甲山の、北側に当るのかな。やっぱり山の中の、高級保養地だよ」

大阪の支店勤務の頃、行ったことがあると、彼はいっていた。

山の中なら、途中は山道を通っていくのだろうかと、富佐子は想像した。

十一時半すぎに、西宮北インターチェンジで高速道路を下りた。

しばらくは住宅街を走る。一度道をまちがえたが、やがて〈有馬口〉という標識から急な坂道を登り始めた。きれいな舗装道路だが、両側に深い樹林が迫っている。インターを出る前から、富佐子は尿意を覚えていた。有馬口を登るあたりで、いよいよ耐えがたいほどになってきた。が、道路沿いに公衆トイレなどは見当らない。鍵谷にいえば、樹林のそばで車を停めるだろう。

だが、用を足すとすれば人目の届かぬ暗い奥まで入らなければならない。そう思うと、富佐子は両腿をきつく合わせて我慢した。

有馬温泉には驚くほど大きな旅館も随所に建っていたが、鍵谷が予約していた〈若葉荘〉は、素朴なしもた家風の造りだった。十二時すぎに着いた。

二人はそこの離れへ案内された。もちろん偽名を使っている。

座敷も古ぼけていたが、幸い渡り廊下で母屋と隔てられていた。

「ああ、こんな部屋ならほかの人と顔を合わせずにすむし、ゆっくり泊るにはいいな」

鍵谷は安心した顔で頷いた。

仲居が茶菓を置いて退ったとたん、

「ああ、疲れた。とにかく一眠りしよう」

鍵谷が伸びをして、押入れから布団を引っぱり出した。

富佐子も手伝って、二組の寝床が敷かれると、彼は倒れるように横になりながら、富佐子を抱き寄せた。

性急で荒っぽい行為のあと、彼はたちまち鼾《いびき》をかき始めた。

富佐子はしばらく男の寝顔を見守った。狸寝入りではないかどうか、見極めようとしていたが、いつか自分も眠ってしまった。

つぎに目を開けた時は、ガラス戸の外が暗く、室内はどこからか流れこむ光でぼんやりと照らされていた。

ああ、まだ無事でいたのだと思った。

腕時計を透かし見ると、七時少しすぎだ。

こちらの気配で鍵谷も目を開け、富佐子の顔を見て、時々する妙に子供っぽい表情でふっと笑った。

床を出て、また大きく伸びをした。

「風呂に入ってこよう」といって、旅館の浴衣とタオルを手に取った。

「富佐ちゃんはここのを使ったほうがいい」

いわれた通り、富佐子は部屋に付いている小さな風呂に湯を溜めた。

上る頃にはかなりの空腹を覚えていた。考えてみれば昼食抜きだった。

鍵谷も同じらしく、部屋へ戻るなり、インターフォンで夕食を頼んだ。

食事では二人とも相当飲んだ。彼はもともとかなりいけるほうだが、ビールと日本酒のあとウイスキーの水割りを、それもずいぶん急ピッチで飲んだので、十一時頃にはお互いにすっかり酩酊していた。

仲居が二人で来て、テーブルを片づけ、改めて夜具を延べて去った。

鍵谷は再び富佐子を抱いた。

さっきよりずっと優しく扱ったが、果てて間なしに鼾をかき出したのは同じだった。

富佐子もまた、そんな彼を眺めるうち、吸いとられるような眠りに陥ちた。

翌三月二十四日日曜の朝、鍵谷は六時に床を離れた。すぐ洗顔して、セーターと背広に着替えた。

「叔父の家へ車を返しにいく。君は寝てていいよ」

「八幡まで……？」

「うむ。二時か三時には着けると思う。八幡から福岡へ行って、飛行機で東京へ帰る。明日はふつうに出勤しなくちゃならない」

食事は途中でするからいいというので、富佐子は急いで起きて、熱いお茶を淹れた。

「たぶん昨日の午後には、西ノ浦の旅館で君がいないことに気が付いて、大騒ぎになっているだろう。書き置きもあるし、ボートが沖に乗り捨てられてるのも見つかって、警察へ届ける。海の中の捜索ももう行われただろうな」

「……」

「とはいえ、君の身許がいつはっきりするかはわからないし、例の一億円と結びつけて考えられるのは明日の月曜になってからだ。国税局の調査が再開され、一方君は無断欠勤して、マンションにもいないらしい。そのうち朝丘絹江の定期預金を君が解約していることなどがわかってきて、行方不明と認めた時点で警察へ連絡してと、そういった経過を辿《たど》るんじゃないかと思う。でもこのへんまで来ておけば、九州の騒ぎは伝わらないし、早くても月曜の夜くらいまでは、テレビや新聞に君の写真が出るような気遣いもない。いやまあ、すべてが露顕してもそこまでになるかどうか、ぼくにもよくわからないけど」

「……」

「従って、君は明日の夕方頃までここでゆっくり休んで、それから東京へ来ればいい。旅館にもそんなふうにいってある」

「あなたは？」

「ぼくはさっきいったように、明日は平常通り銀行へ出る。万一にも疑われないために、ふつうにしていることが肝要なんだ。だけど昼間外回りの間に、大急ぎで君のマンションかアパートを捜すよ。なるべく八潮のマンションに近いほうがいいが、あんまり近すぎても人目につきやすいから、そのへんを考慮してね。とにかく明日の昼間、必ずここへ知らせるよ」

「知らせる……？」

「だから、もし明日中に適当な住居が決まれば、君はここから直接そっちへ移ればいい。でなければ見つかるまで、東京のホテルに泊っててもらわなくちゃならない。でも東京なら、いろんな人間がうようよしてるし、他人のことなど構ってないから、絶対見つかる心配はないよ」

鍵谷は強いて元気づけるようにいって、富佐子のそばに屈んだ。膝をついて、富佐子の両肩をしっかりと支えた。

「富佐ちゃん、今度のことでは君一人に罪をかぶせる形になって、本当にすまない。でも、この間いった通りだ。ぼくがずっとそばにいて、必ず責任を持つ」

「あなたは……」

富佐子の口から、うわずったような声が洩れた。

「あなたは東京へ引越すつもりじゃなかったの？」

「え？」

「ご家族といっしょに津田沼から東京へ……」

鍵谷は、富佐子がなぜ突然そんなことをいい出したのか、ちょっと訝《いぶか》る表情を見せたが、

「まあ、家内はそれを望んでいるらしくて、ぼくも今までは適当な相槌をうってたんだけど……こうなった以上、この件のほとぼりがさめるのを待って、離婚の話し合いをするだけだ」

こうなった以上、あくまで責任をとる。それ以外の選択はありえないのだと、きっぱりと思い定めている彼の心のうちが、今こそ富佐子にも痛々しいまでに感じられた。

「ばかだわ、私って……私、もしかしたらあなたに……」

殺されるかもしれないと思っていた、ということばを、富佐子は喉元でのみこんだ。

「富佐ちゃん、気を強く持って。なんとか切り抜けるしかないんだから。大丈夫だよ、世の中は忘れっぽいし、七年くらい案外すぐたってしまうさ」

鍵谷は富佐子を抱き寄せて、長いこと唇を吸った。

離れを出て、裏の駐車場へ歩いていく途中で、彼は窓辺に立つ富佐子に手を振った。その姿が見えなくなった直後、富佐子は畳の上に頽《くずお》れた。涙が視野を被った。

もしかしたら、どころではなかった。ある時を境にして、自分は確信したのだ。鍵谷に殺されるにちがいないと。彼は富佐子に擬装自殺を唆し、本当に殺して自殺したと見せかけるつもりなのだと。

それでもかまわないと思った。彼と別れ、犯罪人となってまで生きていく望みはなかった。自殺するより、彼の手にかかって死ぬほうがいい。そうすれば、彼も終生富佐子との絆を断ち切れない。私の就縛から逃れられないのだから。

それで本望だと、心底思っていたはずなのに……！

一瞬の魔に似た力が、自分を操った。あの時の行為が、今では信じられない……。

富佐子は、涙といっしょに何もかも流れ尽くし、心も身体もからっぽになったような気がした。

やがて、その空洞の中に、不思議な陶酔感が湧きあがってきた。

短い間でも、偽りない愛を享けたことの陶酔――。

7

三月二十五日月曜の朝、鍵谷悟はいつもの通り蒲田支店へ出勤した。

午前中は得意先を回るのに忙しかったが、午後からは時間をつくって、品川区か目黒区まで足を延ばしてみようと考えていた。勤務先の支店のテリトリーの外で、富佐子を住まわせるマンションを見つけたい。

昼休みにはいったん支店へ戻り、昼食後また出かけようとした時、女子行員に呼びとめられた。

「支店長が今すぐ部屋まで来てほしいそうです」

支店長室へ行くと、副支店長もいて、何かこわばったような空気がたちこめている。

支店長が鍵谷に、椅子にかけるよう顎をしゃくった。

「実は、福岡支店で、合計一億円の架空名義の定期預金が、秘かに解約され、引き出されていたことがわかった。犯人は吉山富佐子というベテラン女子行員にほぼまちがいなく、彼女は発覚の直前に姿をくらました。海で投身自殺した形跡もあるが、目下警察で捜索している」

「……………」

「しかしながら、彼女の単独犯とはどうも考えにくく、背後で糸を引いていた者がいたのではないかとの疑いが濃厚だった。ところがね、鍵谷君、その共犯者がさっき判明したんだよ。というのはね、彼女は朝丘絹江名義の預金を大部分他行へ移してしまっていたが、利息のうちの二百万円ほどはもとの口座に残してあった。その残りの全額をだね、金曜の夕方福岡支店を立ち去るさい、蒲田支店の君の口座へ振り込んでいったんだよ」

鍵谷には咄嗟《とっさ》に意味がわからなかった。

副支店長がわざとていねいに解説した。

「店が閉まったあとでも、キャッシュコーナーのATMから、カードで振り込みができるね。君も知っての通り、何回か操作すれば、高額でも振り込める。吉山富佐子は、発覚を予見して、死を決意した。だがその前に、共犯者である君も告発して、道連れにしようと考えたのではないかね」

黒髪の焦点

1

環状八号線からの道順を示す略図をもらっていたので、マンションはらくに見つかった。住所は世田谷区砧《きぬた》六丁目、近所には保育園や中小の家々が建つふつうの住宅地の中で、坂上倫子《りんこ》の住居はベージュ色煉瓦の六階建て私営マンションであった。

道路脇で車を停めた池尻有子《ゆうこ》が、助手席と後ろに乗っている三人へ顔をめぐらせた。

「ここよね」

「そうでしょ、名前も合ってるもの」と助手席の谷律子《りつこ》が、手にしていた略図と煉瓦に黒タイルで表示された〈ベルウェイ・砧〉の文字を見較べた。有子が思わず確認したのは、建物の印象と、倫子から聞いていた話とのギャップのためだろう。出窓の朱いゼラニュームがくすんだベージュ色の外壁に映えて、ちょっとシックな趣、くらいのことはいえなくもないが、全体に古びているし、周囲には庭や植込みらしいものもない。倫子がいっていた「成城のほうの高級マンション」のイメージとはいかにもかけ離れていた。

確かに砧は成城の隣り町ではあるが。

有子は車をマンション裏側の駐車場のそばまで近付けた。

「三階の一番端っていってたわね」

「あっち側の端よね、この図だと」

「ここで待ってたら出てくるんじゃない」

「クラクション鳴らしたほうがいいかもよ。倫子は昔から遅刻の常習犯だったんだから」

三十二歳の同級生四人が乗った小型車の中では、たえまなく会話がとびかう。車の外には陽春の光がみちあふれ、家並の先で満開の桜が青空をバックに咲き誇っている。

有子は再び車を進め、三階西端の窓の下で停めた。

土曜の昼前という時間帯のせいか、あたりはひっそりとして、マンションに出入りする人影も疎《まば》らだった。

約束の十一時を五分すぎたところで、有子がクラクションを二回鳴らした。律子は車から顔を出し、三階のレースのカーテンがさがっている窓に向かって呼んだ。

「坂上さーん……倫子ーぉ」

「ほら、やっぱりまだ仕度してるのよ」

「急《せ》かしてこようか」

「じゃあ、私、ここで待ってるから」

私道に車を停めている有子を残して、三人が降りた。

エレベーターで三階へ上り、廊下を端まで歩いていく間にもお喋《しゃべ》りが弾んでいる。

〈坂上倫子〉の表札の出ている灰色のドアの前で、三人は立ち止まり、ようやく瞬時口をつぐんだ。谷律子がブザーを押した。応答はない。

ドアを叩いてみる。

「倫子ーっ」

三人は顔を見合わせた。

「まだ寝てるのかしら？」

「まさか……それより、日にちをまちがえてるんじゃないでしょうね」

「すっかり忘れてるとか。約束したのが大分前ですものね」

「しょうがないわねぇ」

律子が苛立《いらだ》ったようにノブを回すと、ドアは意外にすっと向こうへ開いた。

「ごめんくださーい」

声をかけながら、律子はほの暗い玄関へ足を踏み入れて中を覗《のぞ》きこんだ。

「お早よう、お迎えに来ましたよお……」

律子はとうとう靴を脱ぎ、草木染めの暖簾《のれん》を手で分けて上りこんだ。

二人はドアの外で待っていたが、〈インテリア・コーディネーター〉の住居の内部へ好奇の視線を注いでいる。

律子が倫子を呼ぶ高い声が聞こえ、彼女が戻ってくるまでに、二、三分は要しただろうか。

走り出てきた律子の表情が変っていた。

「おかしいの、みんな来て！」

「おかしいって？」と奥井すみかが問い返す。

「倫子はいるんだけど、なんだか……なんだかまるで死んでるみたい……」

「キャッ」とすみかは悲鳴をあげた。

「わかんないわよ。ちょっといっしょに様子を見てよ」

外にいた二人は対照的な反応を示した。大柄なすみかが「いやっ……怖いっ！」ととびすさって逃げかけるのに反し、いちばん無口な山下和枝は半信半疑のように首を傾《かし》げた。

「まさかぁ」

「だから、いっしょに来て！」と律子は和枝の手を引っぱるようにして、もう一度中へとって返した。

2

通報から約四十分後の、四月四日土曜正午近く――

坂上倫子が住んでいたマンション2ＤＫの室内には、警視庁捜査一課と成城署の捜査員、鑑識課員など約十名が集まり、物々しい雰囲気がたちこめていた。

北側が倫子の寝室兼仕事部屋であったらしく、ベッドと洋服箪笥《だんす》、それに大きなデスクが狭い部屋に押しこまれている。

煌々たるライトがベッドの上に注がれ、仰向けに横たわる女の全身を照らし出している。赤、ピンク、紫色のからみあう華やかな色柄のネグリジェから、豊満な胸がはだけ、腿の肉付きのいい長い脚が投げ出されている。茶色く染めた髪が両側から少しかぶさっている顔は、造作が派手で、生前この女性がなかなか魅力的な容姿の持ち主であったことを想像させる。が、今は顔全体が鬱血し、項《うなじ》や下肢などの下側には赤黒い斑点が浮き出していた。

その原因が、彼女の頸に巻きついたナイロンストッキングにあることは、一目見て推測できる。

「絞殺ですね。後ろからストッキングを頸にかけて一気に絞め、念を押すようにきつく結んである」

警視庁嘱託医をつとめる白髪痩身の法医学教授が、時間をかけ、目を近付けてつぶさに観察したあと、予想された通りの所見を口に出した。

「さほど激しい抵抗の跡も認められないから、あっというまの犯行だったのではないかな」

「たとえば、ベッドの上で、情交中に、などが考えられますか」

本庁捜査一課から出動した石山警部が訊く。

「情交があったか否か、見ただけでは断定できないですがね、ベッドの上での犯行と見ていいでしょう」

最初に警察が駆けつけた時、死体には軽い布団が掛っていた。嘱託医が到着し、その布団をはぐって検視が始まったわけだが、ここではまだ死体は着衣のままだ。鑑識課員が現場検証をすませたあと、死体は所轄署へ運ばれ、今度は裸にして再度の検視が行われる。

つぎは解剖だが、そうした経過につれ、死因や死亡推定時刻などが細かく割り出されてくる。

「犯行はいつ頃でしょうか」と、石山がまた訊いた。およその見当でも、早く頭に入れておきたい。

「一応、死後十二時間前後としておきますか」

「すると、昨日の夜中くらいですね」

石山は納得して、室内へ視線を移した。ベッドの横の頭のほうに洋服箪笥、足のほうにデスクが置かれている。

そのへんの指紋採取はすでにすんでいたので、洋服箪笥を開けてみると、吊るされた服がぎっしり詰まっていた。黒、赤、光るような紫など、目に立つ色彩が多い。それらは坂上倫子が昨日まで送っていたキャリアウーマンとしての日常を物語るようでもあった。

石山はデスクのそばへ移った。手前へやや傾斜した図面台風の大きなデスクに、シャープなデザインの照明器具が被さるように付いている。

だが、彼はその図面台の上に、うっすらと埃が積もっていることに気が付いた。製作中の図面のようなものも周囲には見当らない。

寝室よりやや広い南側の一室が居間兼客室だったのか、テレビ、ステレオ、応接セット、それに大きな鏡台が場所をとっている。人形、造花、絵皿などの装飾品もちょっとゴタゴタした感じで並べられ、やはり派手な印象の部屋である。

ダイニングキッチンは割に小ざっぱり片づいていたが、流し台に少し中味の残るビールの中壜と、グラスが二つ、横倒しになっている。石山は手を触れずに、それらを頭に入れた。

刑事の一人が歩み寄ってきて、

「管理人に空き部屋を使わせてもらうよう頼みました」と囁《ささや》いた。

「女性たちはそっちで待ってもらっています」

「うむ。じゃあ、話を聞こうか」

発見者たちからの詳しい事情聴取は、四人のうちの一人がひどく怖がって拒絶反応を示したため、現場から離れた別室を借りることにしたのだった。

石山の質問には、主に谷律子が答えた。最初に室内へ入って死体を発見し、外の公衆電話から一一〇番通報したのも彼女で、四人の中ではリーダー格のように見える。もっとも、この四人が必ずしも昔からの仲良しグループだったというわけでもなさそうであった。

「この間のクラス会の時、私たちと、あと二人、倫子と久保井さんて人と二人で同じテーブルにすわったんです。そしたら、久保井さんのモダンバレエの発表会が今日あるというんで、みんなで観にいくことに決めたわけです」

「高校のクラス会でしたね。どちらの高校ですか？」

石山は、最初におよそ聞いて得た知識を補足していく。

豊島区長崎にある私立女子高の名前が女たちの口にのぼった。女子短大附属高校だが、半数以上はよその四年制大学を受験するという。彼女たちは一九七八年卒業の同級生で、揃《そろ》って三十二歳だった。

「クラス会はよく開かれるんですか」

「いえ、まだ三回目で、この間は五年振りだったんです」

「この間というと？」

「一月十一日だったかしら」

「そう、土曜でしたね」と池尻有子がいい添えた。

約三カ月前になるその日の夕方、新宿の中華料理店でクラス会が開かれた。たまたま同じ丸テーブルを囲んだ六人は、お互いに五年振りで再会した。

そのうちの一人久保井圭子が独身のままモダンバレエを続けていて、その発表会が四月四日土曜の午後、平河町のホールで開かれる。チケットを買ってもらいたいような口《くち》吻《ぶり》でもあったので、みんなで出掛けることになった。小金井に住んでいる主婦の池尻有子が、車で一人ずつ拾って、五人で渋谷で昼食をしてから会場へ行こうと相談がまとまった。最後の坂上倫子のマンションへは十一時頃になる予定で、ちょうどその頃立ち寄って、死体を発見した、といういきさつであった。

「クラス会以後に、坂上さんと会ったり、電話で話をされた方はいませんか？」

みんな一様に頭を振った。

「約束した時、倫子は大きなシステム手帳にその場で書きこんでましたからね。仕事やプライベートのアポイントメントが山ほどあるので、すぐ書いとかないとダブルブッキングしちゃうのよ、とかいって。だからまちがいないと思ったし」と有子。

「それに、みんなで観に行こうって最初にいい出したのが倫子だったじゃない？」と、山下和枝が遠慮がちに口を挟む。

「そうそう、仕事の情報として役に立ちそうなものは、何でも貪欲に吸収するんだっていってたわね」と、谷律子も同意した。

「坂上さんの仕事はインテリア・コーディネーターとか伺いましたが、具体的にはどういった仕事をされてたんでしょうか」

「つまりインテリアのデザインじゃないですか。家とかマンションとか、お店なんかの……」

「青山にあるインテリア・メーカーのショールームに勤めてるって話でした。お客さんの相談に応じて、家具や絨毯や照明器具なんか全部彼女が決めるんだとか」

「とにかく、今若い女性にもっとも人気のある先端的な職業なんだそうで……」

「クラス会で坂上さんがそういわれたんですね」

「ええ、彼女、盛んに喋ってたものね」と、谷律子がかすかな皮肉をこめたように首をすくめた。

「仕事のほかには、どんなことを？」

「大恋愛の相手のこととか、会社の上役の悪口をいったり……」

「ほう、恋愛中だったわけですか。相手はどういう人？」

石山は、口数の少ない山下和枝や奥井すみかへも視線を配った。

「確か、テレビ局のプロデューサー……」

すみかが、まだ激しい恐怖から脱しきれないような硬《こわ》ばった口許をやっと動かして答えた。

「二つ齢上の、もとラグビー選手で、すごく恰好いい人のようでした」と、和枝も頷《うなず》く。

四人のうち、三人が主婦、和枝だけが倫子と同じ独身のＯＬだという。

「その相手とはうまくいってたんでしょうか」

「ええ、もちろんでしょ」

「彼は理解があるから結婚しても仕事は続けたいとか……」

「とにかく大分聞かされましたから」

みんな口々にいうが、テレビ局や、男の名前までは、誰も憶えていないようであった。

「上役の悪口というのは？」

「ショールームにいる課長さんか誰かが、もてないくせに女の子のあとばかり追っかけ回してるとかって笑ってました」

「自分もしょっちゅう誘われるけど、相手にしないんだって……」

誰かに恨まれているとか、トラブルを抱えているなどの話は、出なかったという。

「坂上さんは高校時代から、そういった、積極的に喋るタイプだったんですか」

「そうそう、よく喋って、姉御肌……悪くいえば番長タイプっていうのかしら」

律子が応じ、みんな相槌をうった。

「身体が大きくておとなっぽい感じだったし、顔立ちも派手な美人のほうでしたから……」

「成績もよかった？」

「うーん」と、有子がちょっと複雑な苦笑で首をひねった。

「まあまあかしら」と和枝。

「スポーツは得意で、絵なんかも好きだったみたいですけど」

「卒業後は美術短大へ進んで、今の道に入られたくらいですから」

「在学中とくに仲が良くて、最近までずっと付合っていたというような友だちはいませんか」

みんな再び首を傾げた。

「ああ、彼女とは不思議に仲が良かったんじゃない？」

有子が思い出したように律子を見た。

「ほら、ずっと一番だった森口珠代さん」

「ああ、ほんと、ちょっと意外な取り合せだったものね。でも、卒業後のことまではわかりませんけど」

「たぶんもう付合ってないんじゃないの。だって珠ちゃんは今、社長夫人でしょ」

「そういえば彼女はクラス会に来てなかったわねぇ」

その時、ノックがあってドアが開き、鑑識課員の一人が姿を見せた。石山は立っていった。

「一応検視が終りましたから、嘱託医は署まで戻ってもらっていいでしょうか」

「うむ」

検視のあとも、鑑識課員の現場検証はまだしばらく続く。血痕、指紋、その他微細な遺留物を採取し、現場写真の撮影などをすっかりすませてから、やっと死体を動かすことになるので、嘱託医は先に所轄署まで戻り、本など読みながら待っているのが常だった。

「あれから何かわかったか」

鑑識課員は、部屋の奥からこちらを見守っている女たちのほうへチラと目を投げて、いっそう声をひそめた。

「髪の毛が二、三本見つかりました。死体の脇腹とももの付け根、それと枕に付着してたんですが、被害者の髪とはちがうようです」

3

インテリア・メーカー〈アミカス〉の四階建てビルは、青山一丁目から外苑東通りを新宿のほうへしばらく行った先にあった。一階がショールーム、二階から上が本社だが、ショールームだけは土曜も営業していた。

午後三時、本庁捜査一課の早田警部補と、所轄署の若手刑事ら三人が、アミカスを訪れた。事前に電話で連絡がとられ、坂上倫子がそこに勤務していたことも確認されていた。

カーテン、絨毯、壁紙、さまざまの家具から食器類《テーブルウエア》まで展示されたショールームには、六人のスタッフが勤務していた。そのうち二人が男性で、四十代なかばとみえる室長の大館が責任者のようであった。

「こちらの職員は交替で週休二日をとっているんですが、坂上君は今日は休みになっていたもんですから、姿が見えなくても全然気にしてなかったんですがねぇ……」

奥の応接室で早田と対座した大館は、ショックを隠しきれないような高声の早口で応答した。

「坂上さんは、こちらに何年くらい勤務されていたんですか」

「ええっと、短大を出て、どっか建材メーカーに就職したあと、およそ十年くらい前にうちへ入ったんじゃなかったですかね。その頃うちがここのショールームを作って、何人か中途採用したもんですから」

名前に似ず小柄な大館は、落着かなげにしきりと額の髪をかきあげている。その前髪はもうかなり禿げ上ってそのぶん額が広く、肌の青黒い痩せた顔とのバランスが少し奇妙だ。

「坂上さんはインテリア・コーディネーターとして採用されたわけですね」

「うむ……いやまあ、確かにそういった恰好で採ったとは思うんですが……当時はまだ資格試験の制度もなかったし、そもそもそういう呼び名さえ普及してなかった時代ですからねぇ」

「というと、最近は……？」

「ここ数年でインテリア関係の仕事を希望する女性が急増しましてね。うちへも四年制大学の建築科や造形科を出た人たちが入ってきて、競争が激しいだけによく勉強しているし、センスもいい。それでまあ、こういっちゃあなんだが、坂上君はもう現場のコーディネーターというより、主に事務をやってもらっていたんですよ」

「ははあ……すると、仕事のアポイントメントが山ほど詰っていたというようなことは……？」

「いやあ、六時にここが閉まればすぐ帰ってましたよ」

大館は苦笑した。

「プライベートな話になりますが、坂上さんには恋人がいたようですね。ご存知でしたか」

「恋人ですか」

大館は目をむいた。

「ぼくは知りませんでしたが」

「テレビ局のプロデューサーで、結婚するつもりだったという話なんですが」

「さあ……」

「こちらでは、女子社員は結婚すれば退職する慣例でもあったんでしょうか」

「いや、とんでもない。近頃の女性は結婚したって子供ができたって、めったに勤めはやめませんよ」

「では……社内でとくに親しく付合っていた男性などはいなかったでしょうか」

「それはまあ、彼女も入ったばかりのうんと若い頃には何人かいたかもしれませんがね、この頃はどうですか……」

「女性では仲の良い友だちもあったわけでしょうね」

「とくに誰といって、ぼくにはわかりませんが。どちらかといえば気の強い人だったし、仕事にも不満があったようだから、ちょっと付合いにくい面もありましたからねぇ……」

大館の口吻にはだんだん冷淡な響きが加わるようだ。

早田はまた話題を変えた。

「坂上さんは茶色い革表紙のシステム手帳を使って、予定などを書きこんでいたんじゃありませんか」

「ああ、そのようでしたね」

「マンションには見当らないんですが、会社に置いてないでしょうか」

そこで二人は応接室を出て、隣りの事務室へ移った。

早田の目の前で、大館が坂上倫子のデスクの上や、引出しを一つ一つ調べたが、それらしいものは見つからなかった。

「ロッカーには鍵がかかってますが、しかし、手帳などはふつう、自宅へ持ち帰っているはずだと思いますがね」と、大館がいった。

その日の夜には、遺体の解剖所見が成城署へ報告された。

死因はナイロンストッキングによる絞頸。死亡推定時刻は昨四月三日金曜の夜十時から十二時くらいと、検視所見との矛盾はなかった。

死体から精液は検出されなかった。しかし最近ではコンドームの使用が一般化している上、必ずしも精液が残っていなくても、情交がなかったとは、法医学的には断定できない。また今度のケースでは、ネグリジェ姿の倫子の身体と枕カバーに、彼女のものではない頭髪が付着していたことから、情事の途中でふいに襲われたという可能性は十分に想像できた。

頭髪が彼女のものではないと断定された理由は、色と、血液型がちがっていたからである。倫子はB型、付着していた頭髪の持ち主はA型と判明した。

遺体の頸に巻きついていたナイロンストッキングは、市販されているメーカーの新品。それ以上の特定は困難のようである。

マンション室内には、とくに物色された形跡はなかった。預金通帳、印鑑、キャッシュカード、八万円ほどの現金が、洋服簞笥の中の小引出しに入っていた。

ただ、システム手帳がどこにも見当らない。

会社のロッカーの鍵は、マンションの倫子のバッグの中にあったので、それでロッカーを開けたが、その中にもなかった。

マンションの流し台に、ビールの中壜一本とグラス二箇が放置されていた。壜の中に残っていたビールに異常はなかった。壜の外側とグラスは水洗いされていて、指紋や唾液は検出できなかった。

これらを総合すると——

四月三日金曜夜、倫子のマンションに来客があり、二人でビールを飲んだ。その後二人はベッドへ入ったが、犯人は油断している倫子を用意していたナイロンストッキングで絞殺した。その後犯人は、ビール壜とグラスを流しで洗い、倫子のシステム手帳を奪って逃走した。手帳に、犯人の身許を示唆するような記入があったからであろう。

およそこのような状況が推測された。

そこで、倫子の交友関係に捜査の焦点が絞られたわけだが——

月曜朝の会議で、早田が土日にわたる聞込みの結果を報告した。

「ショールームのスタッフと、階上《うえ》の本社でも、合計十三人に、会社や自宅などで手分けして聴取に当ったわけですが、結論から申しまして、彼女にテレビ局のプロデューサーの恋人がいたという話は、誰からも出てきません。彼女はまる九年前に二十三歳で入社したんですが、最初の三、四年は、インテリア・コーディネーターの草分けといった存在で、仕事も忙しく、社内で彼女に目をつける男性も少なくなかった。ところがその後事務職に移り、だんだん年齢も上ってくるにつれて、浮いた噂も聞かれなくなっていたそうで……」

要するに、早田がはじめに大館から聞いた話が、およそ当っていたようであった。

「すると彼女は、勤め先には絶対にわからない形でテレビ局のプロデューサーと付合っていた、ということでしょうか」

「それだと、不倫の関係ですか。相手の離婚が成立するまで、その関係が外に漏れてはまずいとか……」

つぎつぎ意見が出た。

「確かにそういう考え方もできなくはないんですが、聞込みに当った者の印象としては、そんな恋人は実はいなかったのではないか、という感じが強いんです。クラス会では実在しない恋人の話をして、見栄を張っていたのではないかと。もし本当に極秘を守りたいなら、クラス会でも、テレビ局のプロデューサーなどという具体的なことは喋らなかったはずだと思われますし」

「仕事の面でも、彼女が虚勢を張っていた様子が窺《うかが》われますね」

議長役の刑事課長がいい添えた。

「彼女はすでにインテリア・コーディネーターの現場からは離れていたのに、クラス会では仕事のアポイントメントがぎっしり詰っているような話をしたらしい」

「生活は相当派手だったようですが」と早田。

ドレスが詰っていた洋服箪笥と、埃の積もっていた図面台とを、石山は脳裡に浮かべている。

「すると、事件当夜の相手にはどういう人物が想像されるわけですか」

「現に他人の髪の毛が付着していたわけだし。まあ、それが男とは限らないでしょうが」

「頭髪から性別や年齢などをおよそでも推測できないものですか」との質問が、署の若い捜査員から挙った。

遺体と枕カバーに付着していた三本の頭髪は、警視庁内の科学捜査研究所で詳しく検査されていた。

「毛染めした髪とか、円形脱毛症にかかっていたとか、そういう特徴的なことはわかる。しかし、性別、年齢の特定は難しい。髪の質なども、生えていた場所によってもちがうので、一概にはいえないということのようです」

本庁から来ている者を代表する形で石山が答えた。

「結局血液型だけですか」

少しの間沈黙が流れた。

坂上倫子には、もとラグビー選手のテレビプロデューサーではなくても、肉体関係を持つ相手があり、この男がベッドの上で彼女を絞殺し、デートのメモが記入された手帳を持ち去ったのではないか？

おおかたの想像が捜査員たちの頭に浮かんでいる。

「被害者は、約三カ月前の一月十一日に高校のクラス会に出席していますね」

刑事課長の浦警部が沈黙を破った。

「その時の話で同級生のモダンバレエを観に行くことになり、誘いに来た四人が事件の発見者になったわけだが、これはまったくの偶然だろうか。クラス会は五年振りに開かれたというが、それと事件との関連はどんなふうに……」

途中で室内の電話が鳴った。近くにいた若い捜査員が取って応答していたが、少し待つように断わり、送話口を手で塞いで石山を呼んだ。

「外線からですが、同級生の奥井すみかという女性が、この間の警部さんのお耳に入れたいことがあるとか……」

今ちょうどクラス会が問題にされているタイミングであった。彼は受話器を受け取った。

「石山ですが」

「あのう、私は先日坂上倫子さんのマンションで警部さんとお話ししました者で……」

おずおずした細い声から、石山は四人の中のすみかの顔を思い浮かべた。長い髪を両肩に垂らした色白痩せ型の主婦で、すっかり怯《おび》えきっていた。あんな事件にぶつかれば当然かもしれないが、すみかの反応はとりわけひどく、事情聴取にもほとんど口を開かなかった……。

「この間警部さんは、あとから思い出したことがあったら、なんでも知らせるようにといわれたので……」

「その通りです。何かありますか」

「あの時は、ショックで動転してたし、みんなの前ではちょっといいにくかったんですが……昔の話だから、参考にならないかもしれませんけど……やっぱり念のために……」

独り言めいた前置きを、石山は辛抱強く聞き、さりげなく先を促した。

ようやく相手の口から、思いがけぬ話が洩れた。

「私たちが高二の時、女高生売春がすごい社会問題になって、うちの学校でも三年生が二人ほど退学になったんです。その時、倫子もそのグループに入ってたんじゃないかっていう噂が立ったことがありました。ほんとはどうだったのか、はっきりしないままでしたけど……十五、六年も昔のことですから、ぜんぜん関係ないかもしれませんけど、でもどうしても気に掛かるので……」

女高生売春……か。

正直にいえば、石山は奇妙に懐しいことばに出遭ったような気がした。

4

今から十数年前の一九七六、七年頃、女子高校生売春の嵐が全国を吹き荒れたことがあった。各地でつぎつぎ事件が摘発され、マスコミは毎日のようにその問題を取りあげて、高校生から中学生、さらには小学校高学年の女子児童にまで低年齢化していく傾向を指摘したりもした。

だが、そうしたことも一種の流行に似て、実際には根絶されたわけではないが、いつのまにか水面下に潜ったような形で、派手に取沙汰されることもなくなってしまった。

その嵐のピークの頃、坂上倫子たちは、ちょうど最も危険な年代という高校二年にさしかかっていたわけだ。それすら低年齢化して、今では中学二年がいちばん危いといわれているらしいが——。

石山は奥井すみかを署へ呼んで、直接聴取した。すみかは電話だけですませるつもりだったらしかったが、捜査員が自宅で話を聞くというと、自分から出向くほうを選んだ。三鷹の団地で義母と同居しているという彼女は、姑の耳を気にしたのかもしれなかった。

しかし、すみかからは、電話以上に目新しい情報も得られなかった。退学処分になった上級生たちの名前も憶えていないという。

「ただ倫子は、ちょっと不良っぽくて、ふだんからその人たちとも付合ってたみたいだったので、噂が立ったんだと思います」

倫子がとくに仲良くしていた同級生なども思い出せないと頭を振った。

「事件の朝、誰かが、倫子さんはクラスで一番だった生徒と意外と仲がよかったとかいってましたね」

「ああ、そんなこともあったようですけど、私はよくわかりません」

友だちに迷惑がかかることを恐れてか、すみかはにわかに口が固くなっていた。

十六年前の女高生売春事件が、今回の事件と何か関わりがあるだろうか？

石山は、彼女たちの出身高の私立女子高校へ捜査員を赴かせた。

だが、その結果はおよそ予想した通りだった。今では相当な進学校にランクされているその高校では、男性の教務主任が面会に応じたものの、立ち塞がるような態度でいっさいを否定した。

「何年前であれ、当校に限って、そのような不祥事が発生したことはただの一回もございません」

ほかに問い合わせる先といえば、当時事件を取扱った警察署の防犯課少年係くらいだろうが、どこの署で摘発したのかがわからない。

高校は豊島区長崎四丁目にあり、池袋から西武線で二つ目の東長崎が最寄駅になる。それなら事件は池袋周辺の盛り場で起きている可能性が高いと思われ、早田警部補ら二人連れが池袋警察署を訪れた。

といっても、十六年前の事件の記録が残されているとは考えられない。当時の防犯課員もみんな転勤してしまっていた。が、その頃直接街頭補導などに当った少年係の一人が、現在葛飾区亀有警察署の副署長になっていることがわかった。

二人はその足で亀有署へ向かった。

「——ああ、昭和五十一、二年でしたか、池袋署管内でそういう事件がありましたね」

副署長の小暮警視は、すぐ思い出してくれた。

「あの頃ぼくらは毎日私服で、駅周辺の盛り場を内偵して歩いたもんですよ」

金縁眼鏡の奥の柔和な目を細めて回想する。

「内偵といいわれますと？」

「発端は、駅の西側の盛り場にあるスナックを拠点にして、女高生売春組織があるらしいという風聞をキャッチしてね。それからたくさんのスナックの中で、女高生が常時出入りしている店とか、その種の連絡場所に利用されそうな雰囲気の店などに目をつけて、内偵を重ねた末、ようやく一軒が濃厚に絞られてきた。今度はそこを張り込みしてねぇ……」

店から出てくる女高生一人一人を尾行し、行動を確かめる。ついに一人がホテルへ入ったのを突きとめ、その女高生と、客らしい男が別々に出てきたところを、二人に署へ同行を求めた。両者から「斡旋者」の名を吐かせ、その者の逮捕状を取り、「売春の周旋」の容疑で逮捕した——。

「話してしまえば簡単みたいですが、相手の片方は未成年者だし、ちょっとでもこちらの動きを悟れば、みんなたちまちなりをひそめてしまう。売春というのは、現場そのものを押さえることがなかなか困難な上、痕跡が残らない犯罪だから、よくよく証拠を固めた上で一挙に検挙しなければ、首謀者に逃げられてしまうんですよ」

長い根気のいる内偵の末、スナックの経営者を逮捕したという。この男が客を集め、一方、その男と親密だった女高生二人が友だちに声をかけて、売春行為をさせていた事実が明るみに出た。

「そう、東長崎の私立女子校でしたね」

高校の名前も一致した。

奥井すみかの話が、実際に発生していたことがこれで確認された。

三年生二人の名前までは、小暮も思い出せなかった。早田は「坂上倫子」の名を挙げてみたが、やはり首を傾げた。

「二人に声をかけられて、何人かが売春をしていた事実は明らかだったんですがね。スナック経営者が逮捕され、女高生二人が退学、家裁送りになって、一応グループが潰滅した段階で、警察も学校側も、それ以上の追及はさし控えたのですよ。そのほうが結果的にいいと判断してね。というのが、われわれも唖然としたのは、見るからに不良というのではなく、ふだんはごく当り前の高校生、家庭も両親揃った、どこといって問題のない子供に、性的非行が蔓延していたことなんですねぇ。本人たちにもさほどの罪悪感もなく、最初は興味本位で足を踏みこんでしまう。だから逆に救いといえば、そういう子供たちがみんなますます深みにはまっていくというわけではない。むしろ、一過性の病気みたいなもんで、卒業と同時にさらりと足を洗うケースのほうが多いことなんですねぇ……」

坂上倫子が女高生売春に関わっていたかどうか、さらに追及する方法がまったくないわけではなかった。家裁送りになった当時の三年生を調べ出して聴取するとか、同級生一人一人を丹念に聞込みすれば、手掛りが浮かばないとも限らない。

が、それでは、十六年前の売春事件が今回の殺人事件と関係があるかどうか、となると、依然なんともわからない。

「十六年前の事件が直接どうというのではなくて、重大なのは、坂上倫子に売春の前歴があった、いや、あったかもしれないということではないですかね」と浦が意見をのべた。

「もし過去にやったことがあるなら、現在もやっていたという想像が成立する。そういう見方をすれば、事件はまた別の可能性を帯びてくると思いますね」

「つまり、倫子を殺害したのは、特定の男友だちではなく、不特定な〝客〟であったかもしれないと……？」

石山が問い返すと、浦は重苦しい表情で頷いた。

「そうなると、事件はいよいよ厄介になるかもしれませんが」

石山は、早田たちに、倫子の同級生たちの聞込みを続行するよう指示した。

一方、最近の倫子の暮しぶりを摑《つか》むために、勤め先の大館室長を署へ呼んだ。

「わざわざご足労願って恐縮です」

石山は丁重に犒《ねぎら》ったが、大館は不安そうに、しきりと前髪をかきあげている。何を尋ねても「ぼくにはよくわかりませんが」とことばを濁した。

「とにかく夕方六時にショールームがクローズすると、彼女はたいていすぐ一人で帰って行きましたね。そのあとのことはわかりませんですねぇ……」

事件前日の金曜の夕方もいつもと同じで、別に変った様子も見受けられなかったという。

石山は踏みこんで、倫子が売春をしていた気配はなかったかと訊いた。大館は息をのんでいたが、つぎには狼狽したような高声を出した。

「まさか、そんなことは……噂にも聞いたことはありません！」

万一部下にそういう行為があったとすれば、自分の管理責任を問われると、あわてているような顔だった。

最後に石山は、軽い口調で尋ねた。

「大館さんの血液型は、何型ですか」

「わたしのですか？　Aですが」

また不安そうに眉を寄せる。倫子の死体に別人の頭髪が付着していたことや、その血液型などは、外部に公表されていなかった。

「いや、どうもお時間をとらせまして」

石山は再び丁重に、聴取が終ったことを告げた。大館も腰の低い挨拶を返して椅子から立ちあがった。その拍子に、背広の肩にあった抜け毛の一本が、足許の床に滑り落ちた。

大館が帰ったあと、彼が掛けていた前の机の上にも、短い髪の毛が二本落ちていた。ふつうの人でも一日百本から二百本の頭髪が抜けて生え替わるといわれるが、前髪をかきあげる癖のある大館はいっそう抜け毛が激しいのかもしれない。

石山は、拾い集めた三本の髪をティッシュペーパーの上に並べた。一本でも多いほうが望ましいのだ。

近付いてきた早田に、

「大館はA型だといっていた」

「すると、遺体に付着していた頭髪と同じですね」

「うむ……これを科捜研へ持っていくか」

「ええ」と、早田は強く頷《うなず》き返した。

「今ぼくもそのことを考えていたんです。坂上倫子はクラス会で、ショールームの上役を酒の肴にして笑っていたそうですね。もてないくせに女の尻ばかり追いまわしている、自分もよく誘われるが相手にしないとか……それらしい上役といえば大館くらいしか見当りません」

「口では馬鹿にしていても、実は大館にからだを許していたとも考えられるしな」

石山はティッシュペーパーの包みを早田に手渡した。「科捜研」といっただけで、意は通じている。DNA鑑定である。

従来の法医学では、頭髪から得られる情報はABO式の血液型だけだった。しかし、DNA鑑定が確立し、平成元年から正式に採用されるようになって以来、法医学の方法は大きく拡がった。

DNA鑑定は、わずかな血液や毛髪、精液などから、遺伝子の本体であるDNA（デオキシリボ核酸）を抽出して、個人を識別する鑑定方法である。そこで、犯罪現場などに犯人のものと思われる血液や毛髪が残されていた場合、容疑者のそれらを入手し、両方のＤＮＡを抽出して比較すれば、同一か否かが識別できる。その確度は、たとえば同じ血液型の容疑者が百万人いたとしても、その中から一人を特定することができるのである。

大館が落としていった三本の頭髪を、早田が本庁の科学捜査研究所へ届けた。比較すべき頭髪が多量にあれば、鑑定も早くできるが、現場から採取されたものも三本で、三本ずつはギリギリの量だ。結果が出るまでに一週間から十日はかかるだろうといわれた。

その間に、倫子の身辺調査や同級生たちの聞込みが続けられた。

鑑定結果はちょうど一週間後に早田から石山へ伝えられた。

「一致したそうです」

「なに、遺体に付着していた髪と、大館の髪のＤＮＡが一致したんだな」

「はい、まちがいないそうです」

石山はかえって一瞬拍子抜けした。

「灯台下暗しとはこのことか」

すぐさま大館が任意同行を求められた。前回の丁重な扱いとは打って変り、狭い取調室できびしい表情の石山と浦が大館と対座した。

まず、四月三日金曜夜の大館のアリバイが問われた。

「いや別段何も変ったことは……六時半ころ会社からまっすぐ……ああ、いや、金曜の夕方はたいてい近くのスナックに寄っていく習慣でして……連れのいる時もあるんですが、あの日はたぶん一人で、水割り二杯ほど飲んで、だから七時半か八時前くらいには、その店を出まして、王子の自宅に帰ったのは、九時頃だったと思います。あとはもちろんどこへも行きませんよ」

自宅は北区王子のテラスハウスで、妻と大学二年の長男、高三の長女との四人暮しだという。

聴取の途中から、捜査員が供述の裏を取るために彼の自宅へ向かった。

坂上倫子の死亡推定時刻は金曜夜十時から十二時の間と見られている。大館は会社近くのスナックから直接か、もしくはいったん帰宅してから出直して倫子のマンションを訪れ、情交の上、絞殺したのではないか？

浦刑事課長が決めつけるような語気で詰問すると、大館はとびあがらんばかりに驚いて否認した。

「じょ、冗談じゃありませんよ、どうしてぼくが彼女を……馬鹿な、何の証拠があってそんなことをいうんです？」

「不動の証拠がある」

浦が、ＤＮＡ鑑定の結果を告げた。大館はそのことの重大性がいまひとつのみこめないふうだったが、とにかく遮二無二頭を振り続けた。

「なんかのまちがいですよ。そんな、ぼくの毛があの女の身体に付いてたなんて、そんなことは絶対にありえない。だってぼくは彼女と関係があるどころか、一回もマンションへ行ったこともないんですよ！」

倫子と肉体関係はなかった。当夜は家にいた。倫子のマンションへは足を踏み入れたこともない。大館は小さな身体からかん高い声を張りあげて必死の抗弁を繰返す。

大館の自宅へ赴いた捜査員から報告の電話が入った。自宅には四十二歳の妻と高校生の長女がいたが、二人とも、四月三日金曜の夜、大館は九時頃帰宅し、十一時頃就寝したとのべた。二人の態度はとりわけ不自然とも感じられなかった、という。

しかし、家族のアリバイ証言は当てにならない。

このまま大館を逮捕できないこともなかったが、彼と倫子との関係など、動機面でもう少し詰めの捜査が必要である。それと、ＤＮＡ鑑定に万一にもまちがいのないよう、九段の科学警察研究所へ再鑑定を依頼することになった。

大館はその晩帰宅を許されたが、念のため家の前には捜査員が見張りについた。

ところが――

翌朝七時頃、大館が玄関を出てくるなり、自分から捜査員の車へ近付いてきた。

「ちょっと警察へ連れていってくれませんか」

大館は蒼ざめた顔に異様な緊張を浮かべていった。両手に大きな風呂敷包みを抱えていた。

5

「昨夜、家内から嫌味をいわれました。わたしの冬のオーバーを片づけていたら、女の髪が付いていたと」

石山たちの前で、大館は風呂敷包みをほどいた。その口調では、家族はまだ事態の深刻さに気付いていないかのようだ。

風呂敷から出てきたのは、焦茶の男物オーバーコートであった。

「この左肩のちょっと下に、髪が付いてたというんです。こんな長い髪は女しかいないと」

大館はオーバーのポケットからビニール袋を取り出し、袋の中から、いかにも大事そうな手付きで一本の髪をつまみ出した。三、四十センチはありそうな、ストレートな黒い髪が宙に垂れた。

「そう思ってみれば、あれは今年オーバーを着た最後の日だったんです。三月十三日金曜でした。――いや、ぼくは天に誓って、坂上君の身体に触った覚えはないし、マンションへ入ったこともない。それなのになぜぼくの髪の毛が彼女の身体に付いていたのか、昨日警察を出てからずーっと考え続けていたんです。そこへ女房にこの髪のことをいわれて、はっと思い当ったわけです」

時々前後する大館の話をまとめてみると、およそつぎのようなことだった。

三月十三日金曜の午後七時近く、その日も彼は会社の帰りに一人で青山一丁目にある行きつけのスナックへ寄った。カウンターの決まった席で水割りを飲み始めると、一つあけた隣りのスツールに三十すぎぐらいの垢抜けした感じの女が腰掛けて、同じ水割りを注文した。長い黒髪を肩と額に垂らし、色のかかった大きな眼鏡をかけた女で、連れを待つふうでもなく、静かに飲んでいる。大館は興味を引かれて話しかけた。すると女も相手を求めていたように乗ってきた。

「他愛のないお喋りをしながら、一時間か一時間半くらいの間に水割りを四、五杯も飲んで、すっかり意気投合しちゃったというのか、二人で肩を抱きあって店を出たんですよ。ぼくはあと一軒行こうと誘ったんだが、彼女はもう飲めないという。いっそ何もかも正直にいえば、ぼくはこのままラブホテルへ、とさえ内心考えていたんですよ。でも彼女がどうしても帰るというので、じゃあ家まで送ろうといって、タクシーに乗りました」

自分は渋谷で降りるからと、女は大館を奥へ入れた。

タクシーが松濤の高級住宅地にさしかかった時、彼女は停車を命じた。

「ここで結構よ。家はすぐ近くだから」といってタクシーを降りた。大館に軽く手を振ると、暗い道を小走りに歩き出し、先の角を曲って姿を消した――。

「追い掛けて家を突きとめたい気もしたんですが、なにせ大分酔っていたし、タクシーがすぐ方向転換して走り出したので、そのまま帰ってきてしまったわけです……」

ちょっとした思い出、という程度で、いつか忘れ去っていた。しかし――

「今思い返せば、スナックを出ながら、彼女は自分からぼくにしがみつくような恰好で、ぼくのこの項のへんをしきりと撫でてましたよ。あの時、髪の毛を二、三本抜き取られたとしても、気が付かなかったかもしれない。いや、それしか考えられない。あの女が坂上君を殺して、彼女の身体にぼくの髪の毛を付けておいたのにちがいないんです！」

石山は無言で浦や早田たちと目を見合わせた。

「で、その女の名前は？」

浦がひとまず尋ねた。

「それが、聞かず終いだったんです。訊いたけどはぐらかされたのかもしれないし……」

「渋谷の松濤に住んでることは確かなんですか」

「ええ、それと、もう一つ手掛りがあるんです。いや、ぼくだって見境いもなく行きずりの女に気を許すわけじゃない。その女がスナックでぼくの隣りに掛ける前に、カウンターの端の電話で喋っていたんです。ぼくは聞くともなく聞いてたんですが、話の様子では彼女は家庭の主婦らしかった。それで安心したということもあったんです」

「家庭の主婦というだけでは、手掛りともいえないな」

「いや、その電話の内容を、ぼくはゆうべほとんど眠らずに思い出していたんですよ」

彼女は二回電話を掛けた。最初は「先日は主人が大変お世話になりまして……」といった礼をのべた。その時、「カヤ」とか「カガ」とか名乗り、苗字らしく聞こえた。つぎの電話は自宅の子供が相手みたいで、「ママはお仕事で遅くなるから、先に寝てなさい」などと優しく話していた。

そんな電話のあと、彼女がカウンターに掛けて飲み始めたので、大館は思わず「お仕事ですか」と揶揄《からか》い半分に話しかけた。すると女は皮肉な笑いを浮かべ、

「たまには一人で気晴らしでもしなくちゃ、ストレスが溜まってしょうがありませんもの。あなただってそうじゃない？」と、かすかに媚びるような流し目を送った。それから急にくだけた雰囲気になって会話が弾んだ……。

「嘘じゃない、信じてください、店に問合わせてくれてもいいですよ。ああ、誰かが憶えててくれるといいんだが！」——。

スナックは〈エミリア〉といい、午後五時から開くというので、捜査員が赴いた。外苑東通りの二本裏になる暗い道路に面し、細長い店内もほの暗かった。カウンターの内側には、四十近いママと、二十代のホステスとの二人がいたが、捜査員の話を聞くと、二人とも憶えがあると頷いた。

「大館さんはいつも金曜の帰りがけにお顔を見せてくださるんです。たいてい一人か、どうかするとショールームの方を誘ってらっしゃることもあったけど、初めて会った女の人とあんなに話が弾んじゃうなんてことは、今まで一度もなかったですもの」とママが答えた。

「初めて会ったということは確かですか」

「それは感じでわかりますのよ。うちでも初めてのお客さんでしたし」

「その後も来ましたか」

「いいえ、あの晩一回だけでしたね」

ホステスも同意した。その時の勘定は、大館が自分に付けさせたという。

女の容姿や身なりについては、ほっそりして髪が長く、大きめの眼鏡をかけていた。服装はダークな色合いの上品なスーツを着て、良家の人妻風――。

もう一度会えばわかるか、と尋ねると、二人とも首を傾げた。

「こんなふうにお店が暗いですし、その方は私たちとはあんまり話をしませんでしたから……」

「三月十三日の晩、大館がたまたま行きずりの女といっしょに飲んだというのは、事実かもしれない。しかし、それはそれだけのことではないか。大館が苦しまぎれに、無理矢理事件と結びつけようとしてるんじゃないかと思いますね」

事件から二週間たった四月十七日の会議で、浦が意見をのべた。

科警研に依頼したDNA鑑定は、結果が出るまでに早くとも一カ月はかかるといわれている。再鑑定となれば、より慎重に行われるのである。

石山も、大館の話に胡散《うさん》臭い感じを覚えていた。が、まるで信用できないというのとも少しちがう。ただ、何かひっかかるものがある……。

「あの」と、早田が手をあげて発言を求めた。

「スナックで大館は女の電話を聞いたという話でしたね。それで女の苗字らしいものを小耳に挟んだと？」

「そう、カヤとかカガとかいうふうに聞こえたそうだが……」

「坂上倫子が高校時代に親しくしていた友だちの中に、クラスで一番の森口珠代もいたと、よく同級生の口にのぼっています」

早田が今度はやや語調を改めて話し出した。同級生への聞込みは、彼が主になって進められていた。

「秀才でトップの珠代と、不良じみた倫子との取り合わせが奇妙なので、とくにみんなの印象に残ったらしいのですが、これには多少のわけがあった。というのは、後ろめたいことのある子は、クラスで一、二という勉強のできる子にわざと接近して、仲良くなる。そしてその子に時々家に電話を掛けさせるように仕向ける。すると母親が喜んで安心する。つまり、親を騙《だま》す手によく使ったものだそうです。珠代と倫子の仲も、おそらく倫子がそういった目的で、意図的に親しくなったのではないかという話を耳にしました」

しかし、それが今度の事件とどんな関係があるのかと問いたげな視線を見返して、早田はゆっくりと答えた。

「森口珠代は共学の四年制大学を卒業し、商社に就職しましたが、その後結婚して、苗字は加瀬といいます」

軽い衝撃が室内に走った。

「カセか……」と誰かが呟《つぶや》いた。

「珠代と加瀬英秋とは学生時代からの恋人同士だったそうですが、一級上の加瀬は、卒業後アメリカの大学へ二年留学し、その間珠代は商社に勤めていた。加瀬が帰国してまもなく二人は結婚したようで、現住所は渋谷区松濤一丁目――」

室内の緊張が高まった。

早田は、女高生売春についての情報を提供してくれた奥井すみかから、クラス会の名簿を借り、まず都内在住者から順に話を聞いていった。「倫子と仲が良かった」と名前のあがった者は、訪問を後回しにした。「売春」が絡んでいる疑いもないとはいえないので、可能な限りの情報を収集した上で、直接当るつもりだった。

「珠代の夫の職業は？」と、石山が訊いた。

「建築家で、麻布に事務所があります。加瀬英秋といえば、建築雑誌などにもよく名前が出ているそうですよ」

「設計事務所の社長か」

石山は呟いて、最初に同級生たちから聴取した時の話を心に浮かべた。あの時も森口珠代の名前が出たのだ。

「たぶんもう付合ってないんじゃないの」と誰かがいった。

「だって珠ちゃんは今、社長夫人でしょ」

本当にもう付合っていなかったのか？

加瀬珠代のほうでは、付合いたくなかったかもしれない。

しかし、もし倫子が珠代の「過去」を握っていたとしたら――？

「珠代はどういった容姿なんでしょうか」と質問する者がいる。

「高校時代はすらりとした美人だったそうですが、最近のことはわかりません。まだ直接当人には会ってないもんですから」

答えた早田は、指示を仰ぐように石山へ視線を向けた。

6

加瀬英秋の家は、渋谷区松濤の閑静な高級住宅地の中にあった。蔓バラの這《は》う垣根に囲まれ、低い鉄柵の門扉の向うに、建築雑誌のグラビアから抜け出したような洋風二階建てが見通せる。植込みの深い周囲の邸宅と比べればずっと小ぢんまりしているが、そのぶん開放的で明るい印象を与えた。

夫婦には四歳になる男の子があり、珠代は毎朝八時四十分頃、その子を幼稚園のバスが停まる道路の角まで送ってくる、などのことがまもなく調べ出された。

子供の手をひいて門を出てくる珠代を、捜査員が離れた場所から望遠レンズでカメラにおさめた。ほっそりした体型で、ウェーブのある黒い髪を肩に垂らしていた。眼鏡はかけていなかった。

その写真を、大館に見せた。

彼は長い間食い入るように凝視《みつ》めていたが、ようやく意を決した声で、

「非常に似ています」と答えた。

「ただ、なにぶん店が暗かったのと、彼女は顔を隠すように前髪を垂らしていたんで……それと、この人は眼鏡を掛けてないですね……」

「眼鏡は変装用だったと考えられないこともないですがね」

捜査員がいうと、

「この女性に、あの晩のような眼鏡をかけさせて、あそこの店でぼくと話をしたら、確実にわかると思うんですが」

今の段階ではいささか無理な注文である。

子供が幼稚園へ行っている午前中を選んで、早田と若い刑事の二人連れが珠代を訪問した。

ブザーに応えて、直接珠代らしい女が現われた。確認するとやはり本人だった。長い髪は額からいったん後ろへときあげてから、両側に垂らしてある。目許が涼しく、うすい唇の引きしまった、怜悧そうな顔立ちをしている。

早田たちの身分を聞くと、その顔がこわばった。二人は応接室へ通され、ソファで彼

女と対座した。

「坂上倫子さんが絞殺された事件をご存知だと思いますが……加瀬さんは坂上さんと高校の同級生で、無二の親友だったそうですね」

今までの同級生たちの聴取とはちがい、早田は意識的にやや厳しい口調で切り出した。珠代の反応を観察している。

「無二の親友なんて……それほどでもありませんけど」

珠代は苦笑まじりで否定したが、声はあきらかにうろたえていた。

「しかし、同級生の方たちに訊くと、みんなそんなふうにいうんですがね」

「一度テストの前に頼まれてノートを見せてあげて、それ以来すっかりあてにされちゃって……そのお礼にといって、誕生日にプレゼントをもらったり、そんな程度でしたけど」

「いっしょにどこかへ遊びに行ったようなことは？」

「それはまあ、映画くらいは観に行ったかもしれません」

「当然池袋の盛り場あたりへも出掛けたわけでしょうね」

「……」

「あなた方が高二の時、女高生売春が摘発され、三年生二人が退学になる事件がありましたね。憶えておられますか」

「ええ……」

珠代の顔はいちだんと蒼ざめ、声はかすれていた。

「当時、坂上さんも関わっていたのではないかという噂が立ったそうですが、本当ですか」

「私は存じません。そんなことはないと思います」

急にきっぱりと答えた。

「卒業後も坂上さんと付合っていましたか」

「いいえ」

「一度も会ったことはない？」

「クラス会なんかではたまに……今年は都合で出席できませんでしたけど、その前までは出てましたから」

しかし、個人的な付合いはいっさいなかったと、珠代ははっきり否定した。肚を据え、態勢を立て直したような感じであった。

今度の事件についても、心当りなどあるわけはないと押し返した。

「ところで、奥さんはこの人に見憶えないでしょうかね」

頃合いをみて、若手刑事が気軽な口調でいい、内ポケットから写真を取り出した。受取った珠代は、目を近付け、息をつめて見入った。大館の上半身が写っている。

緊張した面持のまま、顔をあげて、写真を返した。

「いいえ、知りません」

「奥さんは時々眼鏡をかけられるんじゃないですか」

「は？……いいえ、かけたことありませんけど」

しっかりと心のガードを固めたように、珠代はもう動揺を示さない。

写真に彼女の指紋が付着したことだけを収穫にして、早田たちは引きあげた。


お喋り好きの倫子が、好んで取りあげた話題は上司の悪口だった。とくに大館のことを、話の種にしては笑っていた。

もし、倫子と珠代との間に、最近まで付合いがあったとすれば、おそらく珠代も大館の話を聞かされていただろう。ショールームへ行けば、四十五、六という年配の男は彼一人だし、誰が大館かは容易にわかる。

彼が毎週立ち寄るスナックで、彼に接近し、頭髪を二、三本手に入れることも、さほどむずかしい仕事ではなかったと思われる。

その頭髪を倫子の遺体に付着させておけば、DNA鑑定によって大館が特定されることを、珠代は知っていたのだ。最近ではしばしば、DNA鑑定についての解説記事が新聞に載っている。

大館のオーバーコートの肩に付いていたという黒い長い髪から、その血液型の検出はすでに行われていた。B型だった。

捜査側では、倫子の部屋から採取された多数の指紋と、珠代の指紋を比較照合すること、彼女の血液型を調べることにした。

指紋照合では、一致するものは見当らなかった。

珠代の血液型は、彼女が長男を出産した広尾の病院で知ることができた。

その結果が電話で知らされた時——石山は再び拍子抜けを味わわされた。以前とは反対の形で。

珠代はＡＢ型と判明した。

「おおかたこんなことじゃないかと思った。大館のこじつけ話に振り回されていたんですよ」

浦が腹立たしげにいう。

「話をもっともらしくするために、コートに自分の娘の髪の毛でも付けて持って来たんだろう」

その大館は、

「それならオーバーに付いていた髪は無関係な偶然だったんです。とにかく私がスナックで知合った女に頭髪を抜き取られたことはまちがいありません」と主張し続けている。

「しかし……大館の話が単なるこじつけなら、彼が女の電話を小耳に挟んで、カヤとかカガとかの苗字を憶えていたというのも、まったくの偶然でしょうか」

早田は判断に苦しむように首をひねった。

「その女を松濤まで送り、彼女がタクシーを降りた地点から二、三百メートル先に加瀬珠代の家があったことも……」

「いや、偶然ではない」

ふいに石山がいった。今まで、どこかにひっかかるものを覚えていた。それが突然わかった。

「犯人はわざと手掛りを残したのだ」

「……」

「もし珠代が意図的に大館に接近したのであれば、あとで身許が割り出されることなど絶対にないよう、細心の注意を払っていただろう。自分の苗字を小耳に入れたり、自宅近くまで送らせるような不用意をおかすわけがない」

「というと……？」

「犯人は二段構えの擬装工作を弄したのではないか。まず加瀬珠代と似たような髪形で、顔をごまかすための眼鏡をかけて、スナックに現われた。カウンターの端の電話を使って、おそらく加瀬と名乗って一人芝居のお喋りをしたのだ。それを小耳に挟んだ大館は、似たような苗字をうろ憶えにした。帰りに彼がタクシーで送るといい出したのも、犯人の思惑通りだった。そこで松濤まで行かせて車を降りた。つまり第一段階では、犯人は倫子の死体に大館の頭髪を付着させて、それによって彼を容疑者に仕立てようとした。DNA鑑定が採用された昨今では、これは確かに強力な手掛りになるはずだ。が、もし大館が、約ひと月前のスナックでの出来事を事件と結びつけ、女の犯行を主張し始めたら、その女の身許は加瀬珠代に行きつくという二段構えだったのではないだろうか」

「なるほど。でもそれが事実とすれば、犯人の条件もおのずと絞られてくるんじゃないですか」

　早田が身を乗り出す。

「犯人は髪が長く、加瀬珠代に似たタイプで、しかも珠代が昔倫子と親しかったなどの事情を知っていた女ということになる」

「同級生が濃厚だな」

「やはりクラス会が無関係ではなかったわけですかね」と浦も同意を示した。

「といっても、必ずしも最初に事件を発見したグループとは限らないわけだが」

　その通りなのだが、やはり、発生直後に事情聴取した四人の顔が石山の脳裡に浮かんだ。

　その中で、リーダー格の谷律子と、ドライバーの池尻有子はショートカットだった。もっとも、三月十三日までは髪をのばしていて、その後切ったというケースもありうるが、周到な犯人がそんな見えすいたことをしたとも考えにくい。

　残る二人、奥井すみかは確かに髪が長かった。山下和枝はどうだったか？　はっきりとは思い出せないが、後ろでくくっていたような印象があるので、ほどけば長いのかもしれない。

　奥井すみかは主婦で、二日後に電話で女高生売春の一件を通報してきたのだ。

いちばん無口な感じだった山下和枝は、独身のOLだといっていた。

そういえば、谷律子が寝室で倫子の遺体を発見した直後、二人は対照的なリアクションを示したことが、みんなの話を聞いていてわかった。玄関へ駆け戻った律子が廊下で待っていた二人に異常を告げ、いっしょに確かめてほしいというと、奥井すみかは「いやっ……怖いっ！」と叫んで逃げ出した。山下和枝のほうが、「まさかぁ」と半信半疑の顔をしたので、律子は和枝の手を引っぱって寝室へとって返した……。

「とにかく犯人は、頭髪について神経を尖らせているはずなんだ」

石山は呟いて、一つの洞察を得たような気がした。

7

倫子の高校時代の交友関係に、いよいよ焦点が絞られた。多少でも容疑が認められる者は、血液型を調べることになった。

事件を発見した四人も、関係者として、署の近くの警察医の医院まで出向いてもらい、警察官立会いの上で採血した。それを科捜研へ運んで、血液型を調べた。

谷律子と池尻有子はA型だった。奥井すみかと山下和枝がB型で、大館のコートに付いていた頭髪の血液型と一致した。

「たとえば過去の売春で倫子に脅迫されたと仮定すれば、人妻であるすみかのほうが深刻だったはずですね」

「彼女は怖がって一歩も現場へ入らなかったそうですが……」

印象はすみかがクロい。

石山はすみかと和枝の二人のより詳しい身辺調査を指示した。

倫子と同年の三十二歳になる和枝は、世田谷区粕谷のマンションに一人暮しで、恵比寿にある健康食品や漢方薬の販売会社に事務職で勤務している。社内ではおとなしくて真面目だが目立たない存在、といわれていた。

実家は長野県松本市にあり、両親と弟の一家が暮している。高校時代は会社員の父親の勤務の都合で東京に住んでいた。

実家で和枝の縁談が持ち上っていることを、捜査員が社内で聞きつけた。相手は資産のある旧家の長男で、父親は地元政界の有力者らしい。

「和ちゃんは最初隠してたんですけど、探偵社の調査員が会社へ来たりしたんでばれちゃったんです。でも彼女もとても乗り気みたいですよ」と、同僚の女性が話した。

石山は、山下和枝を署へ呼んだ。

中背で痩せ型、黒い髪は三つ編みにして後ろで結いあげていた。整った顔立ちだが、ちょっと寂しい感じで愛敬に乏しいせいか、「目立たない存在」になるのかもしれなかった。

「きれいな髪ですね。ほどくとどれくらいの長さになります？」

最初に石山が尋ねると、和枝は「肩に触れるくらい」と答えた。

つぎに高校時代と卒業後の倫子との付合いについて質問したが、和枝は、どちらもとくに親しい交際はなかったと、以前と同じ答えを繰返した。

「すると、一月の同窓会が久しぶりの再会というわけですか」

「そうです」

「彼女のマンションへ行ったことは？」

「ですから、あの事件の朝がはじめてで……」

和枝の応答には切りこむ隙がない。

石山は姿勢を改めた。

「山下さん、これは任意でいいんですが、もしさしつかえなければ、あなたの髪の毛を三、四本、参考までに提出していただけませんか」

「三、四本……？」

「そう、それもなるべく毛根を付けて抜いてもらえるとありがたい」

「どうしてそんな……？」

石山は少し黙っていてから答えた。

「一つには、倫子さんのマンションに落ちていた頭髪と比較するためです。あなたが事件の朝まで一度も行かなかったという証言を、一応確かめたいので」

「ああ、でもそれでしたら、意味ないと思います。だって、私はあの事件の朝、谷さんといっしょに倫子さんの寝室へ入りましたもの。もし私の髪が落ちたとすれば、その時なんです」

石山の口許にかすかに満足の微笑がのぼった。

「思った通りだ。いやぼくはね、今回の犯人は、犯罪捜査で頭髪が大事な手掛りになるということを十分に承知した人物と睨《にら》んでいた。人間の髪の毛は常時抜けては生え替っている。人は知らず知らず抜け毛をあちこちに落として歩く。だから、われわれ警察の鑑識係も、現場では血痕や指紋ばかりでなく、頭髪も注意深く拾い集める。従って、もしこの事件の犯人が発見者四人の中にいたとすれば、彼女は必ずその時マンション内部へ入っていただろうと考えた。そうすれば、今あなたがいったような言訳が成り立つからだ」

「………」

「しかし、あなたに頭髪の任意提出を求めたのは、もっと決定的な照合をするためだ」

和枝はちょっと瞬きしたが、眸《ひとみ》が寄り目のようになったまま固定してしまった。顔から徐々に血の気が退いた。

「三月十三日夕方、あなたは髪を肩に垂らし、前髪を額にかぶせ、さらに眼鏡をかけて顔をカムフラージュした上で、青山のスナック・エミリアで大館に接近した。顔をよく見せなければ、あなたの体型は加瀬珠代さんと似通っている。ほかにも彼女を指向させるような手掛りをばら撒いた上、あなたは首尾よく大館さんの頭髪を盗み取った。万事計画通りに運んだようだが、皮肉なことに、あなた自身が髪の毛の陥し穴に落ちたのだ。

あなたは彼にしなだれかかって後ろ髪を抜き取ったようだが、代りに自分の髪も彼のオーバーコートに付着させてしまったのだ。こちらがあなたの頭髪と比較対照したいのは、その髪の毛となんですよ」

「……」

「勿論、血液型や毛質だけではない。あなたもご存知のDNA鑑定だ。それによって、大館さんのコートに付着していた髪があなたのものかどうか、決定的に特定することができるからです。――さあ、その三つ編みをほどいて、三、四本任意提出してくれませんか」

和枝は凍りついたように沈黙していた。

どれほどかして、彼女の両手がぎごちなく動き、ヘアピンとゴムを外した。癖のない美しい髪が束になって肩に落ちた。彼女は震える指先をさし入れて、髪の毛を抜こうとしたが、ふいにその手で顔を被って、泣き崩れた。

石山はひそかに安堵した。

「今から十六年前です。高二の夏休みが終ったあと、倫子から声をかけられて、私は池袋駅近くのスナック・コンパルへ行きました。そこで、会社社長という中年男性に紹介され、別々に店を出ました。紙片に書かれたホテルの部屋へ行くと、先に社長が来ていて、二人でベッドへ入りました。終ったあと一万五千円もらって、また別々にホテルを出ました。社長は別の紹介者にも払うような口吻でしたが、私も一万五千円のうち五千円は倫子に渡す約束でした。こういうことが五、六回ありましたが、そのうちスナックのマスターが逮捕され、倫子からは固く口止めされて、それっきりになりました」

「きちんとしたサラリーマン家庭に育ったあなたが、なぜ売春などしたのか」

そう問われると、彼女はむしろ少し顔をあげて答えた。

「私は、そのお金を貯金して、自分の部屋を借りるつもりでした。私は両親と兄と弟との五人で、3Kの社宅に住んでいました。兄と弟は受験勉強のためにと一部屋もらってましたが、私にはありません。でも私も自分の部屋で落着いて勉強して、良い大学へ入りたかったんです。それは、あの頃売春してた子には、ただ遊ぶお金が欲しいとか、単なる興味本位が多かったかもしれませんが、中には私のように、しっかりした目的を持っていた子もいたと思います」

倫子も和枝も無事卒業して進学した。卒業後はクラス会で顔を合わすだけだったが、和枝はなるべく倫子を避けていた。ところが、今年一月十一日のクラス会では、同じテーブルを囲んでしまった。

「私はまだなんとなく倫子を警戒して、何も喋らないつもりでした。でも、倫子はとても幸福そうでした。インテリア・コーディネーターの仕事が面白いとか、テレビ局のプロデューサーと婚約中だなどと話していました。それを聞いて、つい私も気を許してしまったのです。自分のことを訊かれると、私も、縁談がまとまりかけていると打ちあけました……」

クラス会のあとまもなく、倫子が和枝の会社へ電話を掛けてきた。喫茶店で会うと、縁談のことを根掘り葉掘り訊かれた。それから、倫子は急に話題を変えていった。

「ねえ、コンパルのマスター、憶えているでしょ？　私この間、十六年ぶりで新宿でばったり遇ったのよ。今は新宿のスナックの雇われマスターをしてるそうだけど、ちっとも変ってないの。昔話に花が咲いちゃってさ、彼もあなたのことよく憶えてて、懐しがってたわよ……」

倫子の呼び出しはしだいに頻繁になった。無理に誘われて、マンションへも行った。本当は倫子は孤独で、寂しかったのだろうか。

テレビ局の恋人など実在しないらしかった。上司の大館のことも、よく話に出て、馬鹿にしていたが、一時的にせよ関係があったのではないかと、和枝は感じた。からだを許していながら、陰で嘲笑《あざわら》っていたのではないだろうか。

倫子は会うたびに一度は決まって、「コンパルのマスター」を持ち出し、フィアンセに紹介しようかなどと嫌がらせをいった。

「つまり口止め料を強請《ゆす》られたのか」

「それに近いことをいったこともありましたけど、どっちみち、倫子は私の縁談をぶち壊すつもりでいたんです。実際、縁談の相手方に一言でもいったら、お終いになったと思います。過去に同じようなことをしたのに、私だけ幸福になるのが彼女は許せなかったんです。その心の底が、私には見えていたから、ああするしか道はなかったんです」

加瀬珠代に似せた姿で大館に接近し、彼の頭髪を盗み取ったいきさつは、推測した通りだった。

事件当夜は、人目につきにくい十一時すぎに倫子のマンションを訪れた。直前に電話して、在宅を確かめていた。

「私が勤めている健康食品の会社で、今度化粧品も扱うことになった。皺取りによく効くマッサージクリームも発売されるといったら、倫子はとても欲しがりました。それを持っていってあげると電話したのです」

遠くでタクシーを降りた和枝が歩いて訪れた時、倫子は湯上りでネグリジェ兼用の部屋着を着ていた。ビールを振るまわれたあと、和枝はマッサージのやり方を教えるといって、倫子をベッドの上に仰臥させた。隠し持っていたストッキングで一気に絞めた。

大館の頭髪三本を倫子の身体と枕に付着させ、上から布団をかけた。念のためバッグの中にあったシステム手帳を奪い取り、ビールのグラスを洗ってから逃走した——。

「結局、加瀬珠代は倫子と昔仲良かったので、あなたに利用されただけなんだな」

すると和枝は、何かをけんめいに訴えようとするような、奇妙にせつない眼差で石山を見返した。

「ただ仲が良かっただけじゃありません」

「え？」

「珠代さんも倫子に誘われて、二回くらいはやっていたと思います」

「本当か？」

「好奇心からという感じで、サッと足を洗ってしまったようでしたけど」

「倫子から聞いたのか」

「ええ」

「では倫子は彼女にも嫌がらせをしなかったのか」

「ええ、したそうです。でも、珠ちゃんは笑っていたって……」

「……？」

倫子は珠代が加瀬英秋と結婚したと知ると、彼女を呼び出して、こう囁いた。

「あのこと、ご主人の耳に入れるといったら、どうする？」

すると珠代は軽く笑って、

「別にいいわよ。信じるはずないもの」

「そうかしら。ご主人が疑いを抱くかもしれないじゃない？」

「そうねぇ、一抹の疑いくらいは持つかもしれないわねぇ」

珠代はあっさり認めた。

「だけど、万一主人が、ほんとにやったかもしれないとまで疑ったとしても、それはただ一過性の非行とかいったもので、今の私の人間性とは関係ない。主人ならきっとそう割り切って、私に対する気持に変りはないと思うわ」

珠代は虚勢ではなく、自然にそう確信しているように見えたという。

「その話を聞いた時、私、なんだか目がくらむような気がしたんです。そこまでお互いを信じられるというか、そういう感覚の世界で生きていられる珠代さんが、本当に目がくらむほど羨しくて、妬ましかった。その瞬間に、珠代さんに罪を着せてやろうと決めたんです……」

元少年係の副署長が語ったという話を、石山は心に浮かべていた。

救いといえばみんな深みにはまっていくわけではなく、むしろ一過性の病気みたいに、卒業後は忘れたように足を洗う……とか。

一つの過去が一生を変えてしまうかどうかは、わずかな差で決まるのかもしれない。

それにしても、和枝が観念して自供してくれて助かったと、彼はまた内心で安堵の溜め息をついた。

大館のコートに残された髪の毛は一本きりで、毛根も付いていなかった。DNAを抽出するには最低でも三、四本、それも毛根付きに限ると聞いているから、おそらくDNA鑑定は不可能だっただろう……。

鰻《うなぎ》の怪《かい》

1

九月二十五日火曜の午後九時頃、浜名湖畔、舘山寺温泉の旅館〈玉乃屋〉に、三十すぎと思われる女の独り客があった。

舘山寺温泉は浜名湖の東岸からのびる庄内半島の付け根に当り、浜名湖観光の拠点とされている。旅館は三十軒ほどあるが、冬のほうがシーズンで賑わう。まだ残暑があとを曳く九月末の連休明け、古い和風旅館の玉乃屋はガランと感じられるほどすいていた。

客はその日午前中に電話で予約をとっていた。

湖水に面した二階の座敷へ通された彼女は、仲居が持参した宿泊カードに〈高谷麻由子〉と、予約した氏名を記入した。住所は〈東京都世田谷区奥沢〉、予定は二泊だった。

その日は遅く着いて夕食は要らないということだったので、仲居は大浴場への通路など説明し、翌日の朝食の時間を聞いて退った。床はすでにのべてあった。

「家庭の奥さまか、仕事をされてる方か、ちょっとわかりませんでしたけど、とにかくとても垢抜けした感じで、それに服装や持ち物がずいぶん贅沢そうでした」

旅館に長く勤める五十すぎの仲居は、あとでそんな感想をのべている。

「なんとなく物思いに沈んでらっしゃるふうでもあったので、あんまり話しかけませんでした。でも――」

その物思わしげな様子が、陰気というより、どこか知的な雰囲気を漂わせているみたいだったと、仲居は彼女に比較的好印象を抱いていた。

翌二十六日水曜、高谷麻由子は八時半に朝食をとり、九時半にタクシーを呼んでほしいと頼んだ。今日の夕食は六時頃旅館でするつもりだが、もし変更があれば電話で知らせるといった。

迎えのタクシーが着いて、玄関へ降りてきた麻由子は、淡いグリーンのパンツスーツで、大きな金の輪のピアスを耳に吊していた。独りで気ままに湖水を観光してくるといった風情であった。


浜名湖は鰻の養殖でも全国的に知られている。養鰻《ようまん》池は主に庄内半島の南端部から、湖水が遠州灘へ通じる河口域にひろがっている。

約百軒ある養鰻場の一つを経営している風間豊国は、その朝、鰻に餌を与えるのをいつもより遅らせた。ふつうなら、現在十三面使っている池を、朝八時から巡回し始めて、九時までには全部すませてしまうのだが、それを約一時間繰り下げ、彼が事務所の前まで戻ってきたのは午前十時近くになっていた。事務所の横の、いちばん大きな露地池には、まだ餌を撒いていない。

組合から頼まれて団体の観光客にその光景を見せることはたまにあるが、今朝の彼は一人の客を待っていた。

まもなく道路の先にタクシーが停まり、グリーンのパンツスーツのすらりとした女が降りたつのが見えた。

彼の敷地の周囲にも、養鰻池と野菜畑が半々に入り混じっていたが、その間の畦道のような道路を、女は迷わずこちらへ歩いてくる。事務所の屋根の上の看板が目に入っているのだろう。

彼は出迎える恰好で門の外へ出て、互いの顔が認められる距離まで近付くと、二人はどちらからともなく懐かしそうな微笑を浮かべた。

「やあ……しばらく！」

「ほんとに、すっかりご無沙汰して」

「二年振りかなぁ」

「でも風間さん、とってもお元気そう」

「麻由子さんも全然お変りないですよ。いや、ますますきれいになったかな」

親しげに喋りながらも、互いにちょっとぎこちなく視線を外したりするのは、単に懐かしいだけではいい尽くせない、複雑な感情の屈折があるからだった。

白い上っ張りの作業着姿の風間は、ゆっくりと門内へ歩きだし、またつとめて気軽な口調で話しかけた。

「せっかくの機会なので、鰻に餌をやるところをあなたに見せてあげようと思ってね。前にはとうとうそれができなかったから」

麻由子は反射的に目を伏せたが、すぐ風間と同じようにさりげない声で問い返した。

「あの池で鰻を飼ってるんですか」

「ええ。三万匹くらいいるかな」

「そんなに……」

「あれでも三百坪ありますからね」

緑草の生えた畦道に囲まれた田圃のような池に、土色を帯びた青い水がたたえられている。中には水車みたいな機械が三台ほど立っているが、今は動いていない。濁った水面は微風になびいていたが、鰻の姿は見えなかった。

「鰻は夜行性だから、昼間は池の底で眠ってるんです。でもね——」

池の縁まで来て、二人は足を止めた。そこは足許の水の中が金属の柵で四角く囲いされて、餌場がつくられていた。

「餌を投げてやればすぐ寄ってきますよ」

彼はそばに置かれた手押車を傾けた。中にあった茶色い巨きな餅のような塊が、ドサッと水中に落ちた。魚粉と穀類を混ぜてこね合わせた餌である。

と、二、三匹の鰻が目ざとくそれに近付いたかと見えたとたん、あっというまに夥しい数の鰻が柵の間から侵入してきた。たちまち餌場は盛り上るような鰻の大群で埋めつくされた。みんな餌に食いつき、物凄い勢いで咀嚼する。

チャッ、チャッ、チャッ、チャッ

チャッ、チャッ、チャッ、チャッ

三万匹という、ちょっと信じられない数の鰻たちの歯音が、貪婪《どんらん》な音響となり、巨大なボール形だった餌の塊が二つ、三つと分解されていく。鰻たちは争って塊に襲いかかり、身をくねらせて絡みあい、餌場全体が灰色に光り煮えたぎる坩堝《るつぼ》のようでもある。見ればまだ続々と、腹をすかせた鰻の群が柵をめがけて突進してくるのだ。

「ちょっと壮観でしょう」

「怖いみたい……」

麻由子は少し蒼ざめた顔を半分そむけている。

「こんな池がいくつもあるんですか」

「露地池、つまりこういう野天の池は、今三面しか使ってない。あとはハウスの中ですが」

彼は、敷地の奥のほうに数棟並んでいるビニールハウスを指さした。

「あの中に養殖池がつくられてるんですよ。夏場だけ露地池で泳がせて、寒くなるとハウスに入れる。一年中ハウスで飼ってるのもあるけど」

「うん、常時摂氏三十度に保たれているから冬眠しない。そのぶん早く成長して、早く出荷できる。ブロイラーとおんなじ理屈ですよ」

「温かいから？」

「鰻って、冬眠するの？」

「そう。放っておいたら十一月から五月くらいまで冬眠しますよ」

「へえ……」

「いや、ぼくもねぇ、養鰻場の息子に生まれながら、東京から帰ってきて後を継ぐまでは、知らないことだらけだった。もともとは継ぐ気がなくて、親父の話なんかろくに聞いてなかったせいだけど。それと、鰻には案外人に知られてないことも多いんですよ」

「……？」

麻由子の眸《ひとみ》の中に多少興味ありげな光を認めると、彼はまた話し続けた。二年振りの再会で、ぎごちない空気がほぐれるまで、そんな話で埋めようとしている気持もあった。

「たとえば、鰻はどこで産卵するのか、知ってますか。これは実はいまだにはっきりわかっていないんですよ。琉球列島の南方とか、もっと南のフィリピン海溝周辺、あるいは逆に北の日本海溝から伊豆小笠原海溝とか、いろんな説がある。いずれにしても数百メートルから数千メートルの深海でのことらしいので、おいそれとは確かめに行けない。それで結論も出ないんですね」

「そんな深海で産まれた卵は、そのあとどこへ行くんです？」

「もっと浅い水域で一年ほどすごしたあと、シラスウナギと呼ばれる幼魚になって、海流に乗って沿岸部へ近付く。このシラスウナギを河口付近で捕獲したものが、養殖用にぼくらへ売られてくるんだけど」

「みんな捕獲されてしまうの」

「そんなことはない。たくさんの幼魚が川を遡上して、天然ウナギになる。川や湖や沼地に、どれくらいの数がどんなふうに生活しているのか、これも明確な調査はできてないけど、とにかく五年から十年あまり暮らし、成熟すると川を下っていく。下りウナギと呼ばれて、また海へ戻り、謎の産卵場まで、数千キロの最後の泳ぎにつく……」

「ちょっと鮭に似てるわ」

「鮭の回游はよく知られてますね。『鮭サラの一生』なんて本もあるくらいだけど、鰻もまた長い旅をするんだ。下りウナギになると、彼らは絶食する。雌は腹部が膨らみ、雄のほうは、河口域までくる頃には眼が巨大化し、口も大きく裂けて顔つきが一変するそうです。ふだんはヌラリクラリとしているみたいだが、一世一代の舞台にはそれなりの気構えをもって臨むのだろうと書いてあった本もある」

「……」

「そうやってひたすら産卵場の深海まで泳ぎ続け、産卵を終えるとすぐ死ぬ。鰻にも神秘のロマンがあるんだよなあ」

それを話し終える頃には、風間の口調も自然とくだけていた。

麻由子は少し眩《まぶ》しい思いで彼を見あげた。もともとどこかおおらかで、茫洋としたムードの人だったが、東京にいた頃よりずいぶん逞しく感じられる。肌が日灼けして、体格もがっしりとなったのではないだろうか。

「風間さん、養鰻場のお仕事がすっかり身に付いたみたいですね」

「いや、まあ、なにぶんにも今は人手不足だからねぇ、いやでも自分でやらなきゃならないもんだから……」

照れたように答えながら、彼もまた眩しげな目を彼女に向けた。

「麻由子さんこそ、どんなふうです？　昨日は突然の電話で吃驚《びっくり》したけど……いや、その、もし何か――」

彼が躊躇《ためら》いぎみにことばを継ごうとした時、プレハブの事務所のガラス戸が開いて、彼と同じ白い上っ張りに作業ズボンの、六十年配の男が姿を見せた。古い従業員の関だった。

「社長、お電話です」と、関は大きな声でいった。従業員は彼を含めて二人だけだが、とにかく風間は社長である。

「どこから？」と風間が尋ねると、関は事務所を出て、二人のほうへ歩み寄った。昔オートバイの事故で傷めた右足を少しひきずりながら、近くまで来て、麻由子に軽く会釈した。そして、遠慮がちに低い声で囁いた。

「奥さんからです」

低い声だったが、それはそばにいた麻由子の耳にも届いた。彼女はハッとしたように息をのみ、それからひどく意外そうに、まじまじと風間の横顔をみつめた。

2

高谷麻由子はその日午後四時半頃、玉乃屋へ帰ってきた。湖畔を散歩がてら戻ってきたという感じであった。

「どこかごらんになりましたか」と仲居が訊いたのには、「ええ、まあ」と微笑しただけだ。不機嫌というのではなかったが、客が出掛ける前よりいっそう屈託ありげに、彼女には見受けられた。

麻由子は昨夜頼んだ通り、午後六時から一人で夕食をとった。

八時十五分頃、男の声で彼女に電話が掛かり、帳場にいた番頭が部屋へ繋いだ。

それからまた十五分ほどたった八時半近く、彼女が階段を降りてきた。昼間着ていた淡いグリーンのジャケットの下は、フレアの多いスカートに変り、いちだんと女らしい装いになっていた。

「ちょっとそのへんまで出掛けてきますから」と、彼女は玄関に出てきた番頭に断わった。

まだそんなに遅い時刻ではないし、夜が冷えこむ季節でもない。また散歩でもしてくるのかと番頭は思い、「お気をつけて」と気楽な声で送り出した——。

旅館側が不安を覚え始めたのは、その晩十二時をすぎてからだった。

舘山寺の温泉街にはスナックやゲームセンターなどもないではないが、たいてい十一時までには店を閉める。この近くでほかに行くところといえば、舘山寺くらいだが、お寺は旅館のすぐ裏手にあり、三十分もあれば往復してこられる。

するると彼女はどこへ行っているのか？

浜松の繁華街まで出掛けるのなら、タクシーを呼んだはずだし、また、帰りがこんなに遅くなるのであれば、一言断わっていったと思われるのだが。

これが女の独り客でなければ、旅館もそう神経質にはならなかっただろう。

午前二時を回る頃には、六十すぎの旅館の女主人と、番頭、それに係の仲居の三人が、帳場で額を突き合わせていた。

「貴重品は預けたままなんだから、逃げてしまったというわけじゃないしねぇ」

女将がさっきそっと中身を検《あらた》めたハトロン紙の封筒へ目を落とす。中には現金約三十万円と、銀行系クレジットカードのゴールドカード一枚が入っていた。カードの名義は〈高谷麻由子〉で、それが本名であることも判明した。

「洋服やボストンバッグも部屋にありますもの。バッグはすごいブランド品みたいですよ」と仲居も首を傾《かし》げる。

「まあ、門限はないとはいっても、一本電話でも掛けてくりゃいいものを」と、番頭は憤慨しかけている。

「こっちから東京の自宅に電話してみますか」

彼は女将を見たが、彼女はまだふんぎりのつかない面持だ。

「でもねぇ、こんな夜中に掛けたら吃驚《びっくり》させるだろうし、いろいろ事情もあるかもしれないから……」

結局朝まで待ってみることになった。

九月二十七日午前六時、番頭が宿泊カードに記入された高谷麻由子の電話番号をダイアルした。

が、いくら鳴らしても応答がなかった。

午前九時になると、所轄の浜松中央署へ、電話で事情を伝えた。

三十分ほどして、署の刑事課捜査員が二人連れで玉乃屋を訪れた。

彼らは麻由子が泊っていた部屋や、持ち物を調べたが、とくべつ変ったものは見つからなかった。つぎに仲居や番頭から滞在中の彼女の様子などを聴取した。

「最初からどことなく物思いに沈んでらっしゃるみたいではありましたけど、でも、自殺しそうとか、それほど異常な感じではなかったと思いますよ」

仲居が答え、番頭も同意した。二人の印象を総合すると、そんなところになるらしかった。

「こちらへ着いて以後、どこかへ電話を掛けてないですか」と捜査員が尋ねた。

「いや。部屋から直接外へは掛けられないので、いったん帳場へ頼んでいただきます。ですから掛ければ記録が残るわけなんですが、一度も自分からは掛けてないですね」と番頭が答えた。電話は、麻由子が外出する少し前に外から掛かってきた一回だけだ。これには最初彼が出た。

「はい、玉乃屋ですが」といったのに対し、相手は男の声で「そちらに高谷さんという女の人が泊っていますか」と尋ねた。

「はい、お泊りでございます」

「では繋いでほしいんですが」

それで番頭は麻由子の部屋に切り替えた。部屋のベルが鳴って、麻由子が出たことを示すランプが点った……。

「相手の年配は、割と若そうな感じでしたが。特徴ですか？」

口ではいいにくいが、もう一回聞けばたいていわかると、番頭は請合うように頷《うなず》いた。商売柄、客の顔を憶えたり、声を聞き分けることには自信があるという。

「とにかくあの電話でお客さんが外出することになったのはまちがいないと思いますよ。ちょうど電話を切って、着替えして降りてきたというタイミングでしたからね」

女将と仲居も、その点でも意見が一致していた。麻由子は電話で誘い出されたのだろうか——？

「この女性がおたくに宿泊したことには、何か理由があったんでしょうか」

「いや、はじめてのお客さんでした。着かれる日の午前十一時頃、電話で予約があったんです。それもわたしが受けましたけど、ご本人だったと思いますね」

はじめての客であったかどうか、捜査員は女将にも尋ねた。

「以前に来ていただいた憶えはありませんですねぇ。うちは古い旅館で、ガイドブックにもたいてい載ってますから、それを見て電話されたんじゃないでしょうか」

当面彼女に関する手掛かりが期待できる先は、あと一カ所であった。昨日の朝彼女が乗って出たタクシーの運転手である。

捜査員はタクシー会社の営業所の番号を聞いて、電話を入れた。

昨九月二十六日朝九時半頃、舘山寺の旅館玉乃屋から三十歳前後の女性一人を乗せた車の運転手に、彼女をどこまで運んだか、その間何か話をしていたらその内容も教えてもらいたい――。

三十分ほど待ったあと、先方から電話が掛かった。営業所では無線で呼びかけて、問題の車の運転手を見つけた。幸い近くにいたので、今営業所まで戻らせたということである。

捜査員は直接運転手の話を聞くことができた。

「――いやあ、湖畔観光かと思ったら、すぐ降りてしまったんですよ。行き先ですか？庄和町の鰻の養殖場のあるところへと、最初にいわれました。この時間だと、ちょっと遅いけど餌を撒くところを見に行くのかと思って、訊いてみたんですが、わけがわからないみたいな生返事でしたね」

十分もかからずに養鰻場のある区域へさしかかった。運転手がさらに詳しく訊こうとすると、外を見ていた客が「あ、このへんでいいです」と急にいった。

「池と畑の間の四つ角でね、あちこちに養鰻場の看板が出てるとこです」

車はその角でターンしたので、女がどちらへ歩み去ったかはわからない。しかし、そのへんまで行けば、彼女が降りた地点を正確に告げることはできると、運転手は答えた。

捜査員は、今後変ったことがあれば署へ報《し》らせるようにと旅館にいい置いて、ひとまず引揚げた。

彼らは先刻玉乃屋へ来る前に、最寄りの舘山寺駐在所へ立ち寄っていた。昨夜からこの近辺で何か事故などあった形跡はないか、巡回してくるよう指示しておいた。帰りにまた寄ってみると、巡査が戻っていて、別に何も変な様子は認められないと報告した。届け出もなかった。

捜査員は中央署へ戻ってきた。

高谷麻由子の行方をもし早急に捜すとすれば、庄和町一帯の養鰻業者や農家などに軒並み聞込みをかけるしかないだろう。彼女がタクシーを降りた地点を中心にしても、二、三十軒はあると思われる。そこまでする必要があるだろうか？

ふつう、家出人の捜索願などは防犯係が受理しているが、実際の捜索には刑事課の捜査員が動員される。それは失踪した者が自殺するおそれが強いとか、犯罪に巻きこまれた可能性が濃厚だといった場合に限られる。今度のケースはまだそのどちらともいえないが……？

報告を聞いた係長が、時計を見ると正午を回っていた。玉乃屋からはまだ何も連絡がない。失踪した女性は今日旅館を引き払う予定だったそうだから、チェックアウトの時刻頃ふらりと帰ってくるかもしれないといった期待も、望みうすになってきたわけだ。

係長は、刑事課長に相談するために、席を立ちかけた。その前に、念のためもう一回、東京の番号に掛けてみることにした。

思いがけず、さっそく先方が出た。

「もしもし、高谷ですが」

中年らしい女の声が聞こえた。

「高谷さんの、奥さんですか」

「いえ、私は手伝いの者ですけど」

「ああ……奥さんはお出掛けですか」

相手が黙っているので、係長は急いでこちらの身分を告げた。

「二、三日旅行されるとか聞いてましたけど」

相手は再び答えた。

「何日に帰られる予定でしょうか」

「さあ、私がいわれたのは、おとついのお昼前でしたけど……」

詳しく聞くと——電話の相手は高谷の家の近くに住む主婦で富島と名乗った。彼女は月水金の昼すぎから夕方まで、高谷宅へお手伝いに通っている。高谷宅は敷地が広く、家も六十坪以上あって、夫婦二人暮らしには大きすぎるくらいだ。

「以前まで、奥さまのご両親もいっしょに住んでおられたんですけど、二人とも病気で亡くなりましてね」

夫の高谷はサラリーマン、麻由子はとくに仕事はしていない。結婚後四年ほどたつが、夫婦に子供はない。

それなら手伝いなど雇わなくてもよさそうに思われるが、係長がそういうと、相手は、

「お庭が広くて、けっこう手が掛かるんですよ。それに奥さまはあんまりお丈夫じゃないですし、もともとお嬢さん育ちみたいですからねぇ」と同情的だった。

そんなわけで、九月二十六日水曜午後も、彼女は高谷宅へ出向くつもりでいた。ところが前日の二十五日午前十一時すぎ頃、麻由子から電話が掛かってきた。

「今日から二、三日旅行する。主人も夕食は要らないので、水曜は休んで、代りに木曜に来てほしいといわれました。それで、今日伺ってたんですけど」

どこへ行くか、いつ帰るかなど、詳しいことは聞かなかったという。

「——いえ、とくに沈んでらっしゃるとか、おかしな様子は感じられませんでしたけどねぇ」

係長は、夫の高谷繁雄の勤務先と電話番号を尋ねた。名の通った大手商社だった。

そちらへ掛けると、幸い彼は席にいた。

「ええ、家内は二泊の予定で、静岡のほうへ出掛けてくると……静岡には遠い親戚もあるもんですから、そちらへ行くのかと思ってたんですが……なに、浜名湖？」

高谷は鋭く問い返し、あらましの事情を聞き終えるなり、荒い息遣いをしていった。

「心当り、あります！」

3

高谷はすぐそちらへ駆けつけるという。係長は電話でもおよそのことは聞いたが、午後三時半頃彼が署へ現われたので、刑事課長もまじえて改めて事情聴取した。

高谷繁雄は三十五歳で、中肉中背。俊敏そうに引き締った彫りの深い容貌に似合う、歯切れのいい早口で喋った。

妻の麻由子は三十一歳になり、四年制の私大を卒業後、同じ会社の秘書課に勤めて高谷と知合い、四年前に結婚した。

「その頃は家内の母親が健在でした。家内は一人娘のため、母親の希望でぼくらもあの家でいっしょに暮らすことになったのですが、高谷の姓はぼくのもので、養子に入ったわけではありません」

彼は一言断わっておくという感じで前置きしてから、核心に入った。

「家内が浜名湖へ来ていたのなら、訪ねた先には心当りがあります。風間という養鰻業者だと思いますね」

憤懣を抑えるように唇を引き締めた。

「家内は風間君と大学で同級だったんです。ある程度深い付合いだったらしいですね。彼は実家の養鰻業を継ぐのをいやがって、卒業後もどこかに就職して、ぼくらが結婚する直前まで東京にいたはずですよ。ぼくも家内に紹介されて、二、三回は会ったことがありました。でも、お父さんが心臓発作で倒れられたとかで、結局浜松へ帰ったんです。あるいは、麻由子が夫にぼくを選んだのが、帰郷のほんとの原因だったかもしれませんが」

「風間さんがこちらへ帰ってからも、奥さんとの付合いは続いていたんでしょうか」

「どうやら文通くらいはしていたみたいですね。二年前、家内の母が亡くなった時にも、葬式に来てました。もしかしたら、時々東京で会っていたとも考えられます」

高谷はまた忌々しそうに唇をかんだ。浜松と東京は新幹線で約二時間だから、風間がしばしば東京へ出てきていたとしてもおかしくはないのである。

「仮りにですね、昨日奥さんが風間さんを訪ねるためにこちらへ来たのだとすれば、どんな用件だったと想像されますか」

刑事課長の陣川が質問した。矢継早に答えていた高谷は、はじめて、しばらく眉をひそめて押し黙った。やがて、慎重にことばを選ぶ感じでいった。

「ぼくとしては、あまり考えたくないことですが、家内がまだ風間君に未練があり、彼のほうでも家内を忘れられず……まあ、たとえば、風間君が家内に、離婚して自分と結婚してくれといい出したとか。彼はまだ独身らしいですからね」

「それは奥さんからお聞きになったんですか」

「ええ、母親の葬式に彼が来てくれたあとで、家内が洩らしていたことです。一生独身を通すつもりだと彼がいっていたとか」

「失礼ですが、奥さんはあなたと離婚して、風間さんと結婚する意志があったんでしょうか」

高谷はムッとしたように陣川を睨み返した。

「とんでもない。あくまで仮定として申しあげただけです。そう、もう一つの仮定もありえますよ。こっちのほうが有力かもしれない」

「……」

「風間君が家内に金を借りていたというケースですよ。大体養鰻業は最近不景気らしいですね。台湾や中国から安い鰻が入ってくるからですよ。浜名湖あたりでも、鯉やスッポンの養殖に切り替える業者が増えているという話です」

商社マンだけに、その種の情報には通じているのかもしれなかった。

「だから彼が経営不振で家内からまとまった金を借り、その問題がこじれていたということも十分考えられるんです」

「奥さんはまとまった金を自由にできたわけですか」

「両親から相続した財産がありますからね。預金と、家を担保にして金を借りることもできたはずです」

「なるほど」

「話は変りますが」と係長がいっときの沈黙を破った。

「今朝六時頃、旅館の人が、奥さんが宿泊カードに書かれたナンバーに電話をしたんですが――」

カードのコピーを見せると、住所も電話番号も自宅のものにまちがいないと彼は認めた。筆跡も確かに麻由子だという。

「午前六時では、ぼくはまだ寝てましたね。毎朝七時すぎに起きて、八時に家を出る習慣です。電話機を寝室に置いてないので、眠っているとベルに気が付かないこともあるんですよ」

「では、昨日の午後八時十五分頃、奥さんの泊っていた旅館へ電話をされませんでしたか」

「いいえ。ぼくは家内がこちらへ来ていたことも知らなかったんですからね。旅館へなど掛けようもありませんよ」

4

風間豊国が経営する養鰻場は、昨日の朝麻由子がタクシーを降りた地点から二百メートルとは離れていなかった。屋根の上の看板も目に入るので、彼女はそれを見てタクシーを停止させたものと推測された。

捜査員二人が予告なしに彼を訪れたのは、二十七日の午後五時半頃になった。麻由子の行方は依然わからない。刑事課長の陣川は、彼女の失踪を「事件」と見て、捜査と内偵に着手する決断を下していた。

白い上っ張りにジーパン、ゴム長靴という身なりの風間は、二人をプレハブの事務所へ通した。中には女子事務員がいたが、捜査員が風間に警察手帳を示すと、目を見張って立ちあがり、それから気を利かせたように出ていった。

捜査員は、麻由子が失踪したことは告げず、捜査の参考に、といって質問を始めた。

「彼女は昨日の朝、ここへ来ました。九時四十五分くらいだったでしょう」と、彼はあっさり認めた。

「あらかじめ連絡でもあったのですか」

「ええ、前の日に新幹線の中から」

「ははあ」

それで彼女は旅館から外へ電話を掛けていなかったわけか。

風間の話によれば、二十五日の夜八時頃、彼女から電話があり、今浜松へ向かう車中だといわれた。急に思い立って、浜名湖へ独り旅することにした。今日の夕方は友だち数人と食事の約束があったので、東京を発つのが遅くなってしまったが、今夜は舘山寺へ泊り、明日そちらを訪ねてもいいだろうか――？

「それで、せっかくなら、朝、鰻に餌を撒くところを見にくるようにといいました。一つには、ぼくも昨日は午後から組合の会合があってふさがっていたものですから」

約束通り、昨日の朝九時四十五分頃、麻由子はタクシーで訪れた。風間は表の池で鰻に餌を与え、それから養鰻場の中を見せて回った。

「ビニールハウスの中の池や、ここから少し離れたところにある別の露地池にも案内しました。彼女ははじめてで、意外と興味深そうに見てましたが」

一巡して戻ってきた時は、午後一時近くになっていた。

「お昼も食べて行くようにと勧めたんです。近所に美味《うま》い蒲焼きを食わせる店があるもんですから。でも彼女が鰻はもうけっこうというし、ぼくも三時からの会合に出なければならなかったので、ここでお茶を喫んだだけで、一時半頃タクシーを呼びました。彼女は弁天島でも見て旅館へ帰るといってましたが」

「夜また彼女に会われたんじゃないですか」

捜査員がわざとさりげなく尋ねたのに対し、風間はほとんど怪訝《けげん》そうな面持で頭を振った。

「電話は？」

「いいえ」

「昨日の夜八時十五分頃、舘山寺の玉乃屋に電話して高谷麻由子さんと話をしませんでしたか」

「いや、ぼくは掛けていませんが……どうしてそんなことを？」

「………」

「麻由子さんに何かあったんですか」

二人は目顔で素早く協議したのち、一方が口を開いた。

「実は、彼女は昨夜八時半頃旅館を出たまま、行方がわからないんです。八時十五分頃男の声で電話が掛かり、それで外出することになった模様なんですが」

風間は目をむいて息をのんだ。そのまままた二、三度頭を振った。

「い、いや、電話はぼくじゃないですが……それにしても、どうして……」

「風間さんは、昨夜は家におられたんでしょうか」

「もちろんです。いや、新居浜の料理屋で組合の会合と食事があったもんですから、ここへ帰ってきたのはちょうど八時頃でした。それからずっと……」

「ずっと家に？」

「家というか……昨夜はここの池番小屋に泊ったんですが」

「一人で？」

「ええ、いつも従業員のじいさんと交替で泊るようにしてるんです」

「ご家族は？」

「両親と、家内がいますが、今妊娠中で、浜松の、天竜川沿いのほうの実家へ帰ってます」

　捜査員たちは再び顔を見合わせた。

「失礼ですが、風間さんは独身と伺ってましたが……？」

「今年の六月に結婚したばかりなんですよ」

「ははあ、それでさっそく奥さんが妊娠されて……」

「最初の子は実家で産ませたいと、あちらの両親がいうもんですから」

「で、池番小屋に泊ったというのは？」

　風間はそれについて説明した。

　養鰻場では、三月と十二月の二回、専門業者から稚魚を仕入れ、ハウス内の池で育てる。成長の速度によって選別しながら、夏は露地池、冬にはまたハウスへ戻す。一年中ハウス内で飼うものもあり、早くて七カ月、遅くても一年半くらいで養太《よた》と呼ばれる一人前の鰻になる。それを主に六月から盆にかけてと、暮に出荷する。養太になってしまえばめったに心配ないが、稚魚の間は盗まれやすいという。

「稚魚は光に集まる習性があるので、そこをザルですくって持って行かれる。それで昔から池番小屋が作ってあるんです。また夜間は水中の酸素を補給してやるために水車を回すんですが、まちがって止ったりすると鰻が死んでしまいます。そういう事故を防止するためにも、誰か泊ったほうが安心なんです。といっても、今は人手不足で、うちも、ぼくと、長年働いてくれてる六十すぎの従業員と、それに女子事務員との三人きりなんですよ。で、ぼくと従業員とが交替で泊るようにしています」

家族はここから一キロほど離れた家に住んでいるということである。

「すると、あなたは昨夜八時頃から、池番小屋に一人でおられた？」

「ええ」

「小屋には電話が引いてありますか」

「ええ。ちょっとした厨房設備やテレビなども……」

「では、高谷麻由子さんから電話はなかったでしょうか」

「いいえ」

「彼女はどういう用件であなたを訪ねてきたわけですか」

彼は今度はわずかに考えこむような間合いをおいた。

「まあ、気が向いたので独り旅に出て、ついでにぼくのところへ寄ってみたと……」

「もっと差し迫った用件があったのではありませんか」

「最近ご主人との間がうまくいかなくて悩んでいるといったことも、ちょっと洩らしてましたが」

「あなたとの間はどうです？」

「え？」

「金の貸し借りとか、それとももっと個人的な男と女の問題……」

風間が運転資金を麻由子から借りていたのではないか。あるいは、二人の間にまだ恋愛関係が続いていたのではないかといった点を、捜査員は鎌をかける感じで質問した。

だが風間は、吃驚《びっくり》した様子で、どちらもきっぱり否定した。

「確かに彼女とは、将来を誓い合ったこともありました。しかしそれはぼくが東京のサラリーマンをしていた時期のことで、こちらへ帰って養鰻場を継ぐ決心をすると、やっぱり彼女にはぼくについてくるふんぎりがつかなかったようです。ぼくが東京を離れた直後に、彼女は同じ会社にいた今のご主人と結婚して、それ以後はもうお互いこだわりをすてて、親しい友だちとして付合っていたつもりです」

「親しい友だち、つまり親友ですか」

「ええ、まあ」

「それにしてはおかしいですね。親友に結婚を知らせなかったというのは……」

風間は顔を赤らめ、にわかにうろたえたような身動《みじろ》ぎをした。

「いや、その件はですね、実は家内が式の以前に妊娠してしまったもんですから、ごく内輪だけの披露をして、追い追いに挨拶状を出すつもりでいたんですが……」

5

麻由子は男の電話で誘い出され、そのまま消息を絶ったという印象が、なんとしても強い。

浜松中央署では、その夜一つのテストを実行した。

電話を麻由子に取り次いだ玉乃屋の番頭に、風間へ電話を掛けるよう頼んだ。用件は、旅館の客が養鰻場の見学を希望しているが……といったことにして、しばらく風間と話してもらった。

終って尋ねると、番頭は、声が非常によく似ていると答えた。二十六日夜麻由子に掛けてきた電話の主は風間であった可能性が強いと思うという。

念のため、浜松のホテルに泊っている高谷にも通話を試みた。この結果は否定的だった。高谷はかん高い声で歯切れよく早口に喋るが、あの夜の電話の声はもう少し低く、悠長な感じで、やはり風間に近いという答えである。

翌朝は二組の捜査員が、風間の養鰻場の周辺を聞込みに歩いた。同じような露地池やハウスを持つ二代目、三代目の業者が隣接しているので、互いに関心は強いはずだった。

そこでも有力な情報を得た。

二十六日夜八時二十分頃、西隣りの主人が同じ組合の会合からタクシーで帰ってきたところ、家の前の路上で、風間の運転する車とすれちがったというのだ。

「あちらは気が付かなかったみたいだけど、見慣れた車だし、外灯の下で徐行しながらすれちがったので、見まちがうはずはないですよ。あの日は新居浜の料理屋で、三時から会合があり、六時頃から食事が始まったんですが、豊国さんは珍しく用があるといって、七時すぎに中座して帰られました。それで、いったん家に寄ってまた出かけたんだろうと思っていたんです」

新居浜は、浜名湖が遠州灘に繋がる出口のあたりで、庄和町までは車で三十分足らずだった。また、新居浜から舘山寺へ行くとしても、庄和町は通り道に当る。

従って、七時すぎ頃新居浜の料理屋を出た風間が、自分の養鰻場へ帰って、玉乃屋へ電話を掛ける。その後八時二十分に車で舘山寺へ向かったとすれば、八時半頃着くはずで、旅館を出た麻由子とちょうど落合うタイミングであった。

風間への疑いは、これで一段と濃厚になった。

少なくとも、彼が嘘をついたことは明らかである。彼は玉乃屋へ電話を掛けてはいないと申し立てている。この点は必ずしも番頭の証言ばかりを信用できないとしても、隣家の主人の証言には信憑性が認められた。麻由子の失踪や、風間との事情などはいっさい明かさずに聞込みして得た話だった。

二十六日夜、風間は八時頃からずっと池番小屋にいたと申し立てたが、実は車で外出していたのだ。

もう一組の捜査員は、風間の養鰻場の東側へ回っていた。

敷地の西側の道路に沿って、露地池が三面あり、奥の東側にはビニールハウスが五棟並んでいる。プレハブの池番小屋もその途中にあった。

敷地の外れの少し離れたところに、また一つ、千坪ほどもありそうな、広い露地池があった。東は浜名湖の高い堤防で遮られ、北側には雑木林がせり出している。雑木林と池との間には、かなり大きな小屋が建っているが、すっぽり蔓草に被われて、廃屋のように見えた。

池の中には、ほかの露地池と同じ水車が一つ置かれていたが、放置されて錆びついたものらしい。水量も少なめで、どす黒く濁っていた。

池の南側には野原の空地があり、その先は隣りの養鰻場であった。ちょうどそちらのビニールハウスから出て来た四十年配の主婦に、捜査員はそれとなく話を聞いた。

「あれも風間さんとこの露地池だったんですけど、最近は放ってあるみたいですねぇ。どこでも人不足で、手が回らないんですよ」

主婦は大きな池を指さして答えた。

「ああ、それでなんとなく荒れ果てた感じなんですね」

「なにせ、池のメンテは大変だから。一週間に五センチくらい、少しずつポンプで水を換えてやったり、ヘドロも吸い出さなきゃならないし。そうしてないとすぐに水がいたみますからね。もっともあそこも、まだ全然使わなくなったわけでもないでしょうけど」

「……？」

「ボク鰻が入れてあるんじゃないかしら」

「え？」

「大きくなりすぎて売りものにならない鰻のことですよ」

「そんなのがあるんですか」

「うちにもありますけどねえ。鰻はのべつ選別して、成長が遅くて小さすぎるものは出荷せずに、池に残しておくでしょ。上手に網をくぐり抜けて残ってるやつもいるし。そこへ去年は卸し値が原価を割ったので、まる一年出さなかったんです。それやこれやで、ふつうなら一年で回転するはずが、三年くらいたった鰻が残ってしまうことがあるんですよ。それをまとめてあの池に入れてあるみたいですね」

「なるほど」

捜査員は話題を核心へ移した。

二十六日から二十七日にかけて、三十すぎくらいのうすいグリーンのジャケットを着た女性をこの近辺で見かけなかっただろうか――?

「おとといの、二十六日の朝、そんな人が風間さんといっしょにあのへんを歩いてたと思うけど」

二人の様子をさらに詳しく尋ねると、

「そういえばだいぶん親密そうで、ちょっとわけありの様子でもあったですけど」

主婦は本音らしい印象を洩らした。

「だって、池のまわりを歩いたあと、二人であそこへ入って、しばらく出て来なかったですもの」

また彼女が指さした先は、雑木林の手前の蔓草に被われた小屋である。

「あれも池番小屋だったんですか、ずいぶん大きいけど」

「昔、といっても昭和四十三、四年くらいまで、景気のいい時代には、出荷のたびに一日中池番小屋で大盤振舞いの宴会をやったもんなんです。それで小屋もあれくらい大きくなくちゃ足りなかったんですよ」

捜査員の二人連れはさっきの池のそばまで戻ってきた。日中でも林の陰になったようにほの暗く、どこか物寂しい池だった。濁った水面にはさざ波も立っていない。

「鰻は夜行性だからね。ボク鰻も昼寝してるんだろう」

このへんの警察官なら、その程度の知識はあった。

「足跡があるじゃないか」

一人が畦道の下を指さした。道から水際までの数メートルほどは、ヘドロ混りの黒い泥が露出している。そうした上に、かなりはっきりした靴跡が認められた。最初はゴム長らしいものが目についたが、それと入り混っていくつか小さな穴があいていたり、尖った靴先を滑らせたような跡もある。

「あの穴は、ハイヒールの踵じゃないのかね」

「ああ……」

二人はそれらを消さないように気を付けながら、泥の上に足をおろした。腰を屈めて靴跡に目を近付けた。

その時、道の先から、カラカラと機械が回るような音が聞こえてきた。顔をあげると、白い上っ張りを着た六十すぎくらいの男が、手押し車を動かしてこちらへやってくる。

車の中には茶色い土の塊みたいなものが盛りあげてあったが、それが鰻の餌らしいことは、捜査員たちにも察しがついた。

初老の男は少し右足を引きずりながら、彼らのそばを通りすぎる時、ちょっと胡散《うさん》臭い目を投げた。数メートル先の餌場の前で車を止めた。水の一部が金属パイプで四角く囲われている。

彼は車を傾け、大きな餅状の餌を囲いの中へ落とした。
二、三秒ののち、水音が起こり、餌場の周囲の黒い水がふいに大きくうねるように見えた。
と思う間に、たちまち鰻の群れが餌場へ雪崩《なだ》れこんだ。ぶつかりあうように細いパイプの隙間をかいくぐり、われ先に餌に殺到した。ぬめぬめ光る白と灰色が囲いの中を被いつくした。

捜査員たちは思わず二、三歩そちらへ近付き、目をこらした瞬間、「あっ」ともう一度声をたてそうになった。

巨大な鰻であった。直径十センチ、いや、もっとか。優に大人の腕くらいの太さはある大鰻が、それも何百匹、何千匹の数で絡みあい、もつれあい、盛りあがって餌に食いついている。

チャッ、チャッ、チャッ、チャッ

チャッ、チャッ、チャッ、チャッ
獰猛な歯音があたりに響き、大きな餅状の餌はたちまち食い尽くされて行く。
「しばらく放っといたんで、腹をすかせてるんだ」
男が誰にともなく呟《つぶや》いた。

6

「大きくなりすぎて売りものにならない、とは聞いてたんですが、まさかあれほどとは……見ていたら、なんだかゾッとしてきました」

その日夕方の会議で、捜査員は報告しながら、まだ少し気味悪そうに口許をこわばらせた。

「長さは八十から九十センチ、ふつうの鰻の五倍くらいになってて、それが千匹近くもいるんだそうです」

餌を与えに来たのは、風間の養鰻場で三十年以上働いている従業員の関だった。

「飢え死にさせるのも可哀相なので、時々餌だけやりに来ていたが、今度加工業者に安く卸すことになったとかいってました。鰻のパイとか佃煮なんかを作る業者だそうです。それにしても、あんな大鰻が千匹も棲んでる池に、たとえば犬や猫なんかが落ちた場合、どんなことになるだろうかと……」

彼はそれも関に尋ねてみた。

「まだ実際の話は聞いた憶えがないけど、この近所で鷺が食われたことはありましたよ。それもふつうの養鰻池でね」と関は答えた。話してみれば案外気さくに喋《しゃべ》った。

「鳥では鳶と鷺が鰻を狙って来るんだがね、鳶は半分水面に浮いてる弱った鰻を獲るだけで、鳶がたくさん舞ってると、池の状態がよくないとわかるわけです。ところが鷺のほうは、夜こっそり餌場へ来て、元気な鰻を襲うからたちが悪いね」

ひと頃鷺の被害がひどかった時、餌場に罠を仕掛けた。罠にかかった鷺は、反対に一晩で鰻に食われ、骨だけになっていたそうである。

「が、いずれにせよ、鰻は死んだものしか食わないね。生きものの臭いを嫌うし、警戒心も強いですからね」と、関は知り尽くした者の口調でいった……。

では、もし仮りに、人間が養鰻池へ落ちて溺死するか、あるいは死体が放りこまれたとしたらどうなるか。しかもふつうの池ではなく、人の腕ほどもある大鰻が千匹も腹をすかせているという黒い池に——?

誰もの頭の中に、おのずとそんな空想が浮かんでくる……。

会議の前に報告を受けていた刑事課長の陣川が、そこで口を開いた。

「実は、万一というケースも想定して、水産試験場の浜名湖分場へ電話で問合わせしてみたのです。もし人間の死体が養鰻池へ落ちた場合には——」

一同は固唾をのんだ。

「実例がないので、断言はできないが、鷺と同じような結果にならないともいえないとの回答でした」

会議室は再びざわめいた。

「いや、さっきは万一といいましたが、必ずしも荒唐無稽な話でもないと思うんですがね」

陣川は続けた。

「つまり、風間豊国が高谷麻由子を殺害し、池へ放りこんで大鰻の餌食にしたという疑いがです。状況証拠もいくつか浮かんでいる。まず、すでに指摘されているように、風間は二つの嘘をついている。二十六日の夜、彼が玉乃屋へ電話して麻由子を誘い出した可能性は十分あるし、その晩車で外出したところも目撃されている。殺害の動機は、痴情のもつれか、金銭問題、その両方とも考えられるわけです。風間は、麻由子とはただの友だちだと主張しているが、本当にそれだけなら、昔の池番小屋へ入りこんでしばらく出てこなかったなんてことがおかしい。二人は人目を避けた場所で混み入った話をしていたのではないかと考えられる……」

「麻由子は風間がまだ独身だと思っていたという話を聞きましたが……」

若い捜査員が質問した。

「その可能性も大いにあるね。風間はこの六月に、ごく内輪だけの結婚式を挙げている。相手は市内のサラリーマンの娘さんで、お互いに友だちの結婚式に出て、偶然知りあったという話です。祝言がごく内輪になったのは、彼女が妊娠してしまったからだが、彼はそうしたことをいっさい隠した上で、麻由子とも愛人関係を持続し、運転資金を融通させたりしていたのではないか。ところが突然麻由子が現われて、隠しおおせなくなり、追い詰められて犯行に及んだという疑いが濃厚になってきたわけです」

「具体的には、二十六日夜、麻由子を電話で誘い出し、例の養鰻池まで連れてきて殺したということでしょうか」

ほかの者がまた質問した。

「うむ、具体的な場所や方法などは、まだ想像の域を出ないんだが……」

「池のそばにハイヒールの足跡も残っていたわけでしょう?」

足跡は二十六日朝ついたものかもしれないが、念のためあとで鑑識係が出向いて、写真も撮ってあった。

「いずれにせよ、麻由子の死体はその大鰻の池に沈んでいると……?」

「もう骨だけになっているかもしれませんよ」

大鰻の貪食《どんしょく》を目のあたりにしてきた捜査員がいった。

「その骨をどこかに埋めてしまえば、証拠は残らない」

「死体処理を鰻に手伝わせたってことですか」

「しかしながら、最近あそこの池替えが行われたという形跡はないんですよ。大鰻を見たあと、近所でまた聞いてみたんですが、水の交替は池替えといって、バーチカルポンプを使って二十時間くらいかかるんだそうです。夜中にやっても音が聞こえるし、近所に知られないはずはないんです」

「するとつまり、池の水が交替されてないということは、まだ骨が池の底に沈んでいるわけですね」

「何らかの方法で、ひそかに池浚《さら》いが行われていたかもしれない」

口々に意見が交された。

「いや、たとえすでに犯人が池浚いをして、骨を拾い出したとしても、まったく跡形もなくってわけにはいかないんじゃないですか」

「そうだね。池の底に骨のかけらが沈んでいるとか、毛髪が泥にからみついているとか……」

「池の水から血液が検出されるかもしれないし」

「では、われわれの手で徹底的に池の検証をしてはどうでしょうか」

「二十時間かけて空にするわけですか」

「う……む」

ここでも陣川が断を下した。

「よし、空にしてみよう」

7

中央署では風間に、「任意」の形で池の検証を申し入れた。具体的には、池の水をすっかり吸い出し、池を空にして調べたい。

今までは比較的穏やかに対応していた風間も、さすがに渋い顔をした。が、拒絶されれば、署では「捜索令状」を取る気構えでいた。風間にもそれが読めたのか、やがて割り切ったような態度になって承諾した。

「どっちみちあそこは近々水を抜く予定でしたから。というのは、今入れてあるボク鰻を加工業者に卸すことになってまして、出荷のさいには水も出して空にするんです」

ただ、出荷は近日中ということで、まだはっきり決まっていない。さっそく先方と話合ってみるが、検証はその時まで待ってもらいたい。

ここはどうしても風間の協力が要ることなので、署でも彼からの連絡待ちとなった。

それまでの間に、風間はひそかに池浚いして、犯行を物語るようなものを一掃してしまうつもりではないか？——いや、そんなことができないよう、こちらは毎晩池の張込みをすることに決まった。それと知らぬ風間が不審な行動に出れば、動かぬ証拠を摑めるという狙いも含まれていた。

張込みは二人一組で、例の荒れ果てた小屋にひそんだ。文字通りの池番であった。

その二日目に当る九月三十日の夜、不思議なことが起きた。

ハウスが立ち並ぶ区域にあるプレハブの池番小屋では、その夜は関が泊りをつとめていた。

九時をすぎると、彼は懐中電灯を手に番小屋を出て、五棟のハウスの中の池と、三つの露地池を見て回り、戻ってくると十時前後になる。

それが、泊りの晩の彼の習慣である。東外れにある千坪の露地池も稼動させていた頃には、若い従業員などもおおぜいいて、池番は毎晩二人でつとめた。昭和四十年代の中頃まではまだ活気があった。鰻が日本人に好まれなくなったというのなら諦めもするが、需要は当時の三倍くらいにも増えているのに、人手がなくて外国からの安い鰻に市場を占領されてしまうとは、なんとも無念な話だ。

それでもまだここなどは、息子が後を継いだから幸せなほうなのだ。よその業者で、後継者がいないために転業せざるをえないところも少なくないのだから。

それにしても、今度の警察沙汰はどういうことなのだろう？　いったいあの女は社長とどんな間柄なのか？

ここへやってきた朝、二人が露地池の前で親しげに話しこんでいた最中に、社長に電話が掛かってきた。それを知らせに行って、社長に「奥さんからです」という時、なぜか妙にあの女に気兼ねを覚えてしまった。まったくなぜか、そんなふうな雰囲気が二人の間には感じられたが……。

そこまで考えて、彼は番小屋の前まで帰りついた。ハウスの間にはほとんど灯りはなく、暗闇の中に水車のザザーッという水音だけがたえず響いている。

彼は小屋の中へ入ってガラス戸を閉め、蛍光灯を点けた。掛金をおろすために再び外へ向き直った。とたんに驚いて目をむいた。ガラスの外にふわっと女の姿が浮かび出たのだ。

女はふいにどこからか現われて、番小屋へ歩み寄り、ガラス越しにこちらを覗きこんだようだ。蛍光灯の光が近付いた女の顔を明るくした。上品な白い瓜実顔。頬の横で金の輪のイヤリングが揺れている。あの女だ！

関がそう思った直後、女の顔が離れた。彼は急いでガラス戸を開け、懐中電灯を照らした。グリーンのジャケットを羽織った女の後ろ姿が、ハウスの陰の闇へ走りこんだ――。

その一件を、関は翌朝養鰻場の付近で見かけた顔見知りの捜査員に話した。捜査員は張込みの帰りだった。

「見た瞬間は幽霊かと思ったんですがね。あれは行方不明になっている高谷麻由子さんですよ。しばらく追いかけてみたんだが、あちらのほうが足が速いし、暗いので見失ってしまいました」

最初のうち、捜査員は半信半疑で、何回も聞き直してみたが、関の話は細部まで変らない。

「夢や錯覚なんてことは絶対にありませんよ。確かにあの人だったと思います。そりゃあ、会ったのは一回だけですが、印象に残るような美人だし、ことにあの金の輪っぱみたいなイヤリングをわたしははっきりと憶えてましたから」

「風間さんにも話されましたか」

「無論、今朝いちばんに申しましたよ。社長は、なんだかわけがわからないが、とにかく警察に届けたほうがいいと――」

捜査員は署へ戻り、陣川と周囲にいた者に関の話を伝えた。

「信じられませんねぇ。風間と関が馴《な》れ合いで一芝居打ってるんじゃありませんか。つまり、関が確かに麻由子を見たと主張すれば、まだ彼女は生きているということになる。それで風間への容疑を解消して、池の検証も中止させようという魂胆なんじゃないですか」

一人がいうと、大半がその意見に賛成した。

「まあ、しいて別のケースを想定して、本当に麻由子が生きているとすればですねぇ……」

係長が考えこみながら口を開いた。

「麻由子は自分に内緒で結婚していた風間を恨み、嫌がらせの目的で姿をくらましたんじゃないか。風間に嫌疑がかかり、池の検証までされれば、養鰻場は気味の悪い噂に包まれて、いよいよ経営は苦しくなるだろう。そして事態は彼女の思惑通りに運びつつあるので、風間の困った顔を見てやろうと思って番小屋に近付いたところ、関がいたのであわてて逃げた……と、こうは考えられませんか」

これには多くの支持は集まらなかった。

しかしながら、午前十時半頃、またも思いがけぬ報がもたらされた。

麻由子の夫の高谷繁雄は、二十八日にはいったん東京へ帰り、居住地の所轄署へ妻の「家出人捜索願」を提出していた。その玉川署刑事課長が、こちらの刑事課長へ電話を掛けてきたのだ。

それによると、今朝高谷が出勤の途中で署へ立ち寄り、捜索願を取り下げたという。

高谷が玉川署で語った話は——

「昨夜十一時半頃、麻由子が家へ電話してきたのです。わけがあってしばらく身を隠しているが、無事でいるから心配しないでほしいというのです。わけを訊くと、話せば長くなるので、いずれ家へ帰ってから何もかも打ちあけるといって、切ってしまいました。どういうことなのか、私にもさっぱりわからないのですが、とにかく麻由子本人の声にはまちがいありませんし、元気そうな様子でしたから、これ以上警察をお煩わせしてはいけないと思いまして……」

玉川署では、浜松で麻由子の行方を捜索している事情も聞いていたので、一応連絡しておくというものであった。

陣川は再び捜査員を集めて協議した。

「こうなると、麻由子は無事で生きていると考えたほうが正しいかもしれない。証人が二人も出てきて、しかも二人が口裏を合わせて嘘をついているとは、彼らの立場からしてまずありえないことだからね」

「すると、麻由子はやはり、風間への嫌がらせに姿をくらましたというわけですか」

「何にしても人騒がせな話だ」

「池の検証はどうしますか」

またひとしきり議論が続いた。

「家出人」が生きている公算が強まり、捜索願も取り下げられた上は、あえて池の検証をする理由はなくなってしまったようでもある。騒げば騒ぐほど、麻由子の思う壺になるかもしれない。

また実際、今になって考えてみれば、麻由子が殺されてあの池に沈められたという具体的な情況証拠は何もなかったのだ。

大鰻の話を聞いて、つい思いこみが強くなりすぎてしまったのかもしれない……。

陣川はいささか反省したが、検証をすっかりとりやめにすることもないと気が付いた。

「風間は大鰻を出荷する時、どうせ池を空にするといっていたから、その機会に、一応調べることにしよう」

夜間の張込みは打ち切りとし、しばらく状況を静観することにした。みんなホッとした気持の反面で、どこか釈然としない思いにも捉われている。

「それにしても、麻由子はいつ家へ帰るつもりなんでしょうねぇ」

誰かが呟《つぶや》いた。陣川も内心で反問した。

本当にこれでいいのか？

何か忘れていることはないか——？

8

二日がすぎた。

十月三日の朝、突然風間豊国が中央署に現われて、陣川に面会を求めた。

刑事課長席の前まで来て、彼と対座した風間は、ふだんより顔付きを引き締め、緊張した声で切り出した。

「その後、麻由子さんが無事に家へ戻ったという連絡はあったでしょうか」

「いや。あなたのほうは何か……？」

風間は頭を振り、ポケットから白いハンカチの包みを取り出して、デスクの上に置いた。

「今朝、包みを開けると、直径五センチほどの金の輪のイヤリングが一つ入っていた。

「今朝、ハウスのそばの叢に落ちていたのをぼくが見つけたのです。この間の晩、麻由子さんが姿を消したと関君がいっているあたりのハウスですが」

「すると、関さんに追われて逃げる時に彼女が落としていったということですか」

「最初はぼくもそう思ったんですが、少しおかしなことに気が付きまして」

「……？」

「これは、ほら、耳朶《みみたぶ》を挟みつけるタイプのふつうのイヤリングでしょう？　しかし、二十六日の朝麻由子さんがうちへ来た時には、一見これとそっくりの、ピアスをはめてたんです。耳朶に穴をあけて通すイヤリングですよ」

「なに……つまりこれは、彼女のものではないと……？」

「ええ、翻って、この間の晩現われた女は、麻由子さんを装った偽者だったんじゃないでしょうか。関君は、確かに彼女だったと証言しましたが、彼は一回しか本人に会ってないのだし、服やイヤリングで騙《だま》されたんじゃないか。敵はその効果を狙ってこんなイヤリングを付けたんだが、あいにく偽者の女は耳朶に穴をあけてなかったので……」

「しかし……麻由子さんが生きているという証人はほかにもいる。ご主人の高谷さんが、確かに奥さんからの電話だったと……」

「高谷さんが証言しただけでしょう？　誰もほかに彼女の声を聞いた人はいませんし」

「……」

陣川は盲点を衝かれた気がした。先日自分は、何か忘れていないかと思った、それはこのことだったのだ。麻由子が失踪して、利益を得る者はいないか――？

高谷繁雄に関する調査には、玉川署刑事課が動いた。

高谷夫婦が住んでいる家は、麻由子が両親から相続して所有していた。世田谷区奥沢の高級住宅地にあり、二百坪の土地付きだから、時価十億円と見積もられた。麻由子名義の銀行預金も約一億円にのぼった。生命保険は加入していなかった。容易に疑いを招くようなことは、高谷が避けていたとも考えられた。

財産以外にも、高谷に麻由子を殺す動機はなかったか？

高谷に女のいる可能性がいちばんに疑われる。

この内偵は意外なほど手こずった。捜査員が高谷の同僚や、仕事の付合いで出入りするクラブなどにそれとなく聞込みしたり、退社後の高谷をしばらく尾行してみたが、なかなか確証が摑めない。競争の激しい職場では弱点を摑まれぬよう、彼はきわめて慎重に振るまっていたのかもしれない。

しかし、彼が時々プライベートで飲みに行くスナックが自由ヶ丘にあるらしいという噂を小耳に挟んだ捜査員が、目星をつけた店を何軒も聞いて歩いた結果、ついにそれを突きとめた。その店では、ひと頃週に一、二回立ち寄っていた高谷が、ここ半年以上もパッタリ姿を見せなくなったため、彼のことを喋る気になったらしい。「お見限り」の理由は、彼が執心していたホステスが辞めたからにちがいないという。

その女は小里京子といい、二十八歳くらい。まだ同じ店にいたホステスが住所を知っていた。京子は店を辞めたあと、渋谷から野毛に移っている。野毛は奥沢にほど近い。

玉川署の捜査員二人が、京子のマンションを見つけ、早朝を狙って訪れた。

京子は麻由子より小柄だったが、華奢な顔立ちやスタイルは共通していた。耳朶にピアスの穴はない。

最初高谷との愛人関係を問われた京子は、白ばくれようとしたが、動揺を隠しきれず、追いつめられた形でとうとう認めた。

高谷の勧めでスナックを辞めた京子は、今は昼間ブティックに勤めている。高谷は月三、四回の割で訪れてくるが、決して泊らないという。

つぎに捜査員は、高谷の妻麻由子が行方不明になっていることを告げた。トリカブト事件を例に引いたり、麻由子も夫に殺害された疑いがあると匂わせると、京子はいよいよ平静を失った。

さらに高谷との間をくわしく問い詰めた。

「彼は、そのうち必ず離婚して私と暮らすと約束してくれました。あの人が奥さまを殺すなんて、そんなことは絶対に考えられません」といって、京子は泣き伏した。

一人が居間で話を聞いている間に、もう一人は途中で玄関に立ち、バスルームの付近にまで足を踏み入れて、2DKのマンション内部をそれとなく観察した。

すると、洗面所の棚の上に、薬の袋が置かれているのが目に入った。袋の上に〈高谷麻由子殿〉と記され、下には精神神経科医院の名前が印刷されている。

捜査員は、思いがけぬ収穫を手にして居間へ戻った。

袋を京子の目の前に突き出すと、彼女は再び顔色を変えた。

「いえ、それはただ、高谷さんの保険証を使わせてもらうために、奥さまの名前をお借りしただけです」

ここへ越してまもなくの約半年前から、京子は生活のサイクルが変ったため、夜眠れなくて困った。高谷に相談すると、中目黒に知合いの精神科があるから、そこで精神安定剤を出してもらえばいいといった。妻ということにして紹介するから、保険証を持っていくようにと渡された。

「そのうち、高谷さんも不眠症になったそうなので、私が二週間に一度薬をもらってきては、彼にも分けてあげていました」

しかし、京子は、麻由子の失踪は知らなかった、まして浜名湖の養鰻場で偽の麻由子を演じたなど、まったく身に憶えがないと、頑《かたく》なに頭を振り続けた。

今の段階で京子から聞けるところまで聞き出したと判断した玉川署では、翌日高谷繁雄に任意出頭を求めた。

扱いはまだていねいだが、いうまでもなく、殺人容疑に基づく事情聴取である。

容疑の概要は——

高谷は麻由子が浜名湖へ旅行した機会に、自分の車で旅館の近くまで行き、電話で彼女を呼び出した。旅館名などはあらかじめ彼女から聞いてあった。

人目につかない場所で彼女を殺害し、死体をどこかへ隠した。その後も風間に容疑が掛かるよう仕向けたが、彼が必ず犯人と断定されるという確証はないため、途中から方針を変え、麻由子はまだ生きていると思わせることにした。京子に偽の麻由子を装わせ、関の目に触れさせる一方、麻由子本人から自宅へ電話が掛かってきたと、嘘の届け出をして、捜索願を取り下げた。

家族から提出された「家出人捜索願」が、本人が帰宅したということで取り下げられれば、ふつう警察ではその事実を確認しないし、その後行方を追及することもない。

それが高谷の付け目だった。

今後、麻由子の死体が発見されなければ、七年後に裁判所から死亡認定が下るまで、遺産相続はできない。しかし、高谷には法律上相続の必要はなかったのだ。権利証や印鑑などはすべて家にあるのだから、麻由子さえいなくなれば、財産は高谷の意のままになるだろう。

また、あらかじめ京子に麻由子と偽って精神科へ通院させ、精神安定剤の処方を受けさせていたのは、麻由子が「行方不明」になったあと、自殺の見方を強めるための準備工作だったと考えられる——。

これに対して、高谷は、京子との関係は素直に認めた。捜査員の来訪を京子から知らされてもいたにちがいない。

しかしながら、それ以外の部分はいっさい否認で押し通した。

「とんでもない誤解です。ぼくは家内の宿泊先も知らなかったんですよ。現に旅館の番頭さんは、家内を誘い出した電話の声は、ぼくではないと証言したじゃありませんか」

「声くらい、いくらでも変えられるでしょう」

すると彼は、俊才らしい彫りの深い顔を蒼白にして、いよいよかん高い早口でまくしたてた。

「ひどい邪推ですよ。大体ぼくは養鰻場など見学したこともないんですからね。風間君に容疑を着せようにも、どこに何があるのか、さっぱり勝手がわかりませんよ。そもそもぼくがどこに死体を隠したとおっしゃるんですか」

証拠がないと開き直られれば、捜査側は詰った。

例の大鰻の池をやはり一回空にしてもらいたい——。

玉川署の申し入れを受けて、陣川は再び勇み立った。

9

千坪の池の水を吸い出す作業は、二日にかけて行われた。

十月十一日昼すぎ、陣川から東京での情況を打ち明けられ、直接依頼を受けた風間が、関と、出荷の時だけよそから頼む若者たちなど数人で、池の中の縁に近いところに十馬力のバーチカルポンプを据えた。周りを金網で囲いし、鰻が来られないようにして、ポンプを稼動させる。吸いあげられた水は、近くの水路へ吐き出され、やがて浜名湖へ流れこんだ。

ポンプは夜十時頃まで回して、いったん止めた。もともとほかの池より水が少なく、一メートルくらいだった水深が、それで約半分になった。中の鰻に危険がない程度の、ギリギリの水位である。

翌十二日は、朝六時から再びポンプを稼動させた。風間たちに加え、大鰻を引き取る加工業者や、近所の人々も集まってきて、作業を見守っていた。九時すぎには、中央署の捜査員たちも姿を見せた。

昼近くなる頃には、水位はまたかなり下がって、濁った水の面に時々鰻の背中が見え始めた。

池は、中央にヘドロが積もって、底が浅くなっている。ポンプの置かれた縁に近いほど深い。そこで自然と水は縁のほうへ溜まり、ポンプで吸いあげられる仕組みである。

風間たちが浅くなった池へ入り、バーチカルポンプの外側に、もう少し隙間の粗い金網で囲いを作った。その端に、〈鰻ポンプ〉と呼ばれる機械を据えつけた。

いったん姿が見え始めると、あちこちで灰色に光る鰻の背中が蠢《うごめ》くのが認められた。朝になって眠りかけていた鰻たちは、突然水が減り出したのに驚いて、右往左往しているのかもしれない。そして自然と、水が溜まるほうへ寄り集まっていく。

中央部のヘドロの底が現われた。その部分は徐々に、徐々に、広くなっていく。それにつれて、鰻の群はいよいよ縁のほうへ押しやられ、粗い金網の内側にまで入りこんできた。

午後三時頃、囲いの中は鰻でいっぱいになった。

その頃には見物人の数も三十人くらいに増えていたが、みんな息をのんで目を奪われた。集まった鰻が、めったに見られないほど巨大だったからだ。大鰻の集団は、絡みあい、ひしめきあって、狭い囲いの中に盛りあがるようだ。

鰻ポンプも動き始めていた。鰻たちはそちらへ吸い寄せられ、水といっしょに池の外へ吐き出された。そこから木枠のような選別器を通過して、ついに大きな籠の中へ捕獲された。

池がほとんど空になったのは、午後五時をすぎてからだった。まだあちこちに小さな水溜りは残っているが、ドロドロした黒い池底の大部分が、夕焼け空の下で鈍く光っていた。

もともとが人工池だから、自然の岩などはないし、藻の類も不要なのでいっさい入れていない。

変哲もない池の底は、ただ黒々としていた。一見したところ、人骨らしきものも、どこにも沈んではいなかった。

「どこまでいっても摑みどころのない事件だなぁ」

陣川は口をへの字にして腕を組んだ。

「まったく、鰻みたいなもんですよ」と、そばにいた者が実感のこもる相槌をうった。

空になった池の底は、県警本部や署の鑑識課員らの手で、隈なく検証された。が、人骨や多量の毛髪など、事件を物語るようなものは何一つ発見できなかった。泥の中に小さな古い骨片がいくつかは埋まっていたが、それは鳥類のものと判定された。

念のため、県警本部の研究所に水質検査を依頼したが、とりたてて不審はないとの回答が返ってきた。

東京では、高谷が依然いっさいの犯行を否認している。

「心証として、彼が資産家の妻の殺害を謀っていた疑いはかなり匂ってくるんですがね、この先死体でも出ない限り、こちらも手が出せない状況なんですね」

玉川署の刑事課長が、電話口で忌々しそうに舌打ちしていた。

「いったい、この先、死体は出てくるんだろうか。たとえばほかの養鰻池などから」

「ふつうの鰻ではとてもすっかり食い尽くせずに、その前に死体が浮いてくるだろうという意見が有力ですがねぇ」

それならそろそろ浮いてきてもいいはずなのだが。

「といって、このへんではほかに考えられる場所もないしなぁ」

そのまま数日が過ぎた。

陣川宛に、一通の手紙が舞いこんだ。表にはきれいな女文字で署の住所と〈刑事課長様〉と記され、裏は〈M・T・〉というイニシャルだけだった。

封を切る時、陣川にはある程度の予感があった。

中は便箋数枚で、表書きと同じ筆跡で綴られていた。

前略、このたびは大変ご迷惑をおかけいたしまして、誠に申し訳ございません。いくらお詫びしてもし尽くせないとは存じますが、せめて本当の事情をお伝えしておかなければいけないと考えて、これを認めております。私がこのような結果を招いた行動をとりました理由は、やはり生命に関わる問題だったのでございます。

かねてから私は夫が外に女をつくり、私を殺そうと企んでいるのではないかという疑いに脅やかされておりました。具体的な根拠はなく、いってみれば直観的、本能的な疑いではありましたが、なぜかそれは日に日に募るばかりでした。

一度は私立探偵社に夫の素行調査を依頼しました。が、頭のいい夫は巧みに尾行を撒いて、尻尾を摑ませません。夫としては、私に愛人の存在を知られれば、離婚を承諾せざるを得なくなり、財産を手に入れるチャンスも失われてしまいますから、絶対に秘密を守らなければならなかったのです。

去る九月二十五日、私は夫の部屋の引出しの奥に多量の精神安定剤がしまってあるのを見つけました。睡眠薬としてよく使われる薬で、私も利用したことがありましたから、シートに印刷された薬の名前を見て、すぐわかりました。

この大量の睡眠薬を、夫は私に服ませ、自殺と見せかけて殺すつもりではないだろうか？

私の恐怖は限界に達しました。とはいえ、これだけでは、警察に訴えても取り合ってもらえないのではないか。たとえ夫が事情を訊かれても、おそらく彼は完璧に言い逃れするでしょう。

私はとにかく誰かに縋《すが》りたい思いに駆られ、心に浮かんだのは風間さんでした。その時私は、彼がまだ独身でいると信じていましたから、正直申して女としての心の揺らぎがあったことも否めません。

私はその晩、浜名湖へ向かいました。

新幹線の車内から電話して約束した通り、翌二十六日の朝、私は彼の養鰻場を訪れました。

再会してまもなく、私は彼に、すでに妊娠中の奥さまがあることを知らされ、少からずショックを受けました。でも、私とて人妻の身で、文句をいえる筋合いではありませんでした。

養鰻場の中を案内してもらいながら、私は彼に事情を打ち明けました。その日彼は午後から夕方まで、組合の会合に出席しなければならなかったため、私は一時半頃いったん辞去し、弁天島を回ってから旅館へ帰りました。

八時十五分頃、会合から戻った風間さんが旅館へ電話してくれて、私は八時半頃外へ出て、迎えに来た彼の車に乗りました。浜松の市街地まで行き、大きなホテルのラウンジで話をしました。彼は、舘山寺の旅館などには顔を知られているので、私と二人で会って、噂を立てられるようなことは避けたかったのでしょう。

すっかり私の話を聞き終えた彼は、やはり警察に夫のことを徹底的に調べてもらうのがいい、そのために、私が行方不明になってはどうかと提案しました。ただの家出では、警察はなかなか積極的な捜査をしてくれないらしいが、旅館から忽然と姿を消してしまえば、事故や犯罪に巻きこまれた疑いが濃くなり、警察が、財産の相続人である夫の身辺を洗うのではないか、と。

私も、もうそれしかないと決心し、そのまま浜松市内の別のビジネスホテルに偽名で投宿しました。

ところが、事態は私たちの予想外の方向へ発展してしまいました。

東京から駆けつけた夫が、風間さんの動機を匂わせる発言をしたこと、旅館の番頭さんが人の声をよく憶える方で、電話の声は風間さんに似ていると証言したこと、さらに彼が二十六日夜車で外出したところを隣人に見られていたこと、などから、彼が疑われる立場になってしまいました。

加えて、例の大鰻の池です。実際あの千匹の群が餌に食いつく光景を見れば、誰でも、もし人間もこの池に落ちたらどういうことになるかと、つい想像してしまうでしょう。

ご存知の通り、そんなわけで、あの池の水を抜いて、検証が行われることになりました。

困ったのは風間さんです。それが噂になって、養鰻場の評判が落ちることは目に見えています。検証の結果は何も出ないに決まっているのですが、すると風間さんは、もっと別の場所に死体を隠したと疑われ、どこまでも黒い噂につきまとわれないとも限りません。

また私としても、これではいつまでたっても、警察の手で夫を調べてもらえず、何のために〃失踪〃したのかわからない有様です。

風間さんと私は、電話で相談した末、新たな一計を案じました。

九月三十日夜、私は養鰻場へ現れて、わざと関さんに顔を見られました。

同夜十一時半頃、夫に電話を掛け、わけあってしばらく身を潜めているだけだから心配いらない、と告げました。すると夫は、予期した通り、翌朝署へ行ってわけを話し、私の捜索願を取り下げました。

そのあとで、風間さんが、ピアスではない金のイヤリングを持って警察を訪ね、関さんの見た女は偽者であり、夫の証言も偽りではないかと申し出たわけです。

今度こそ、警察の疑いは夫へ注がれました。そうなればさすがにプロです。夫が用心深く隠していた愛人の存在を、ついに突きとめて下さいました。そのことは、風間さんが刑事課長からお聞きして、私に伝えてくれました。

夫は本当に私を殺すつもりだったのでしょうか？

今となっては、それはわかりませんが、お蔭で私の目的は達せられました。私はこれから東京へ帰り、夫に離婚を請求します。その正当な理由を私は手に入れましたから、夫もいやとはいえないのです。

警察の方々に大変ご迷惑をおかけいたしましたことを、重ねて深くお詫び申しあげます。でも、もしかしたらこれで一つの殺人事件が防がれ、一人の女が新しい人生を歩み出すことができたのだとお考え下さいまして、どうぞご寛恕下さいませ。

長い回游の旅をするという鰻の話が、ふと陣川の心に浮かんだ。

それから、風間はやはりまだ麻由子を愛していたのだろう、と思った。

だからこそ、彼女の危機を救うために、一世一代の大芝居を打ったのではなかっただろうか――とも。

高谷麻由子拝

鰻の生態については中村幸昭氏の『タイは恋をすると赤くなる』（ＰＨＰ研究所）を参考にさせて頂きました。

輸血のゆくえ

1

「あそこです！」

先を行く女が喘《あえ》ぎながら叫んだ。指差したほうには、立木の間に渓流沿いの岩場が見え、倒れている人影が認められた。

女は急な斜面を半分転がるようにして駆け下った。

吉本警部補は、後ろから担架を抱えて従《つ》いてくる救急隊員たちと、その後ろの部下を振り返ってから、女のあとに続く。

岩場は幅三メートルくらいの狭いもので、大きな岩がごろごろしている。その中でも比較的平らな岩が続いているあたりに、二人の男が横たわっていた。

二人とも仰向けで両手をだらりとひろげ、死人のように蒼白な顔で目を閉じている。どちらも長袖シャツに釣り用のベスト、ズボンの下の足には、黒っぽい足袋のようなゴムの履物を付けている。ちがうところは、背の低いほうの男の片足のズボンから足先までが、べっとりと血に浸されていることだ。

白い岩場と動かない男たちとの上には、九月初旬のまだ残暑のこもる明るすぎるほどの陽光が満ち溢《あふ》れている。あたりは渓流の水音だけが響く静けさだった。

二人の救急隊員は、担架を置いて、男たちのほうへ走り寄った。

年長の隊員が、まず長身の男のそばに膝をついた。

口や鼻に耳を寄せる。頸動脈のあたりに手を当てて脈をみる。瞳孔を検《あらた》めた上で、彼は吉本警部補を振り向いた。

「亡くなってますね」

続いて彼は、傍らの血塗《ちまみ》れの男のほうへ近づいた。

救急隊員が胸に手を触れると、その男はかすかに瞼を動かした。うっすらと目を開ける。

「あなた！」

女が呼びかけた。

「血はどうにか止まってると思います。お願いします」

女は縋《すが》るように救急隊員の背へ両手をかけた。

彼らは男のそばへ担架を運んできた。二人で肩と足を持って、担架に移す。かなり額の後退した小肥りの男だが、年齢はまだ三十代後半くらいに見えた。

男はまた目を瞑《つぶ》って、されるままになっていたが、担架が運び上げられたところで、再び目を開けた。

女が駆け寄って、男の右手を握った。

「あなた、頑張ってね」

男は女を見上げ、いままでよりはっきりと目を開いた。二人はいっときじっと凝視《みつ》めあっていたが、救急隊員が動き出す気配で、女は身を退いた。

担架を抱えた救急隊員たちが、滑りやすい土手を気をつけて登り、細い山路の先に姿を消すまで、残されたものたちは無言で見守っていた。

やがて吉本と部下の若い捜査員が、岩の上に残された男のそばへ歩み寄った。

黒々とした髪、日灼けして引き締った顔、痩せ型の長身には、一見どこといって外傷は見当たらない。血塗れの男のほうが生きていて、こちらが死亡していることが、吉本にはなにか皮肉な事象のように感じられた。

岩場には、釣り道具のほかに黒い大きな革カバン、注射器、なにかの薬剤が入った瓶など、さまざまなものが散乱していた。死体の周囲では血が落ちて乾いた跡が、点々と認められる。

吉本は、改めて傍らの若い女へ目を注いだ。年齢は二十代後半くらいか。耳の下で切り揃《そろ》えたショートヘア、すっきりとした眉と、わずかに八重歯の覗《のぞ》く口元。細身の体には、ピンクのシャツの上から男たちと同じようなベストを着け、下は光沢のある化繊のズボンで、足にはやはり足袋に似た黒いゴム靴を履いていた。

「あなたも釣りをされていたわけですか」

吉本が声をかけると、俯《うつむ》いて下を見ていた女が、我に返ったように少し顔を上げた。

「はい」

「志方さんといわれましたかね。最初から詳しい事情を説明していただけますか」

四十すぎの吉本の穏やかな声に促されて、女は小さく頷《うなず》いた。いっとき息を詰めていたが、口を開いた途端、

「私が不注意だったんです」

呻《うめ》くようにいって涙に咽《むせ》んだ。

「落着いて。さっき担架で運ばれたのがご主人ですね」

「はい」

「ご主人と、この方は？」

横たわっている男を目で示した。

「山崎さんとおっしゃいまして、主人の釣りのお友達でした。今日は山崎さんに誘われて、ここまでイワナ釣りに来たんですけど」

女はけんめいに感情を抑えながら、ようやく少ししっかりと話しはじめた。

それによると——

死亡している男は山崎真、四十九歳。オレンジやグレープフルーツなどの果物を輸入する会社を経営していて、住居は杉並区高円寺にある。

彼女の夫、志方範夫は三十五歳。広告代理店に勤務するサラリーマンだが、釣りが好きで、二年ほど前、区内の釣友会で山崎と知り合った。

「山崎さんとは、年齢はだいぶん違っていたんですけど、なにかとても気が合うようで、よくご一緒に出かけていました。私は、山崎さんはとくにイワナ釣りがお好きで、主人もたび たび誘われていたようです。私は、最初あんまり釣りには興味がなかったんですが、主人に勧められて時々は付き合っていました」

彼女は志方希《のぞみ》といって、夫より四つ下の三十一歳だという。夫婦は杉並区善福寺のマンションに住んでいて、子供はいない。

今朝も二人は、マンションの前で山崎と落ち合った。午前四時半頃だった。山崎がいつも釣りに行く時に使うワゴンを運転して、彼らのマンションに立ち寄ったのである。

そこから青梅街道を走って、青梅市内を抜け、奥多摩町に入った先で、大丹波川沿いの道路へ曲った。さらにその上流の後山川《うしろやま》に沿って進み、林道の途中で車を停めた。

川沿いの山路を三十分ほど歩いてここまで来た。この場所は、山崎が見つけておいたのだそうで、イワナがよく釣れる。ウィークデイの早朝でもあり、ここまで入り込むと、ほかの釣り人の姿も見えなかった。

三人は六時頃から渓流に釣り糸を垂れた。十一時近くまで釣って、弁当にしようということになった。昼食後、気が向けばもうしばらく釣りを続け、昼過ぎには引き揚げる予定だった。

事故は昼食のあとで発生した。

タバコを取りに行こうとして起き上がった志方が、苔のついた石で足を滑らせて転倒した。その拍子に、そばにあった尖《とが》った太い倒木の枝が、右大腿部の内側へ深く突き刺さった。

「動脈を切ったらしく、なかなか血が止まらないんです。紐で括《くく》ったり、いろいろやってみたんですが、あとからあとから血が出てきて、顔は見る見る蒼ざめてくるし……」

その時の様子を思い出したのか、希は声を震わせた。

食後のうたた寝をしていた山崎を揺り起こし、二人で止血に努めると、出血は少しは収まってきたようだが、志方は顔面蒼白で、脈も細くなっている。意識もぼんやりしてきたみたいで、明らかに脱血状態であった。

「救急車を呼びに行こうと山崎さんがいったんですけど、とても間に合わないと思いました。それより、この場で輸血をしたほうがいいんじゃないかと……」

「輸血？」

吉本は問い返して、改めて足元に散らばっている注射器などに目を落とした。さっき電話の通報でも、そんなことをいっていたように思うが、詳しくは聞いていなかった。

「輸血をしたわけですか」

「はい」

「あなたは医者ですか」

「獣医です」

思いがけない返事が希の口から聞かれた。驚いている顔の吉本に向かって、希は自分を励ますような表情で話し続けた。

志方の血液型がA型であることは、希にはわかっていた。自分はB型なので、夫に供血は出来ない。

山崎の血液型を訊くとAだと答えた。

「Rhプラスも幸い主人と同じでした。クロスマッチはできませんが、こんな緊急の場合にはやむを得ないと思いました。このままでは主人が死んでしまいます」

希は山崎に頼んだ。

「応急処置として、山崎さんの血を主人に輸血させていただけませんか」

何回か必死に頼むと、山崎は戸惑った様子ながらも承諾した。そこで彼女は車を置いた場所まで走り戻り、医療器具の入った鞄を取ってきた。

「私は、今日の午後、釣りの帰りに八王子にある乗馬クラブへ寄る予定でした。馬が暑さで参っているので、瀉血《しゃけつ》をするつもりで、二百ccの注射器と、十四ゲージの注射針を用意していました。それと、その血をあとで利用するため、抗凝固剤のクエン酸ソーダも持っていました。私は馬匹専門の獣医で、競馬場や乗馬クラブの診療所に通ってますので、そういう道具はたいていいつも鞄の中に用意しているんです」

「馬用の注射器で輸血をしたわけですか」

「はい、まあ、馬用といっても、とくに人間に使う注射器と変わったところはありません。ただ私は医師ではありませんので、法律上は人間の輸血行為はできないはずなんです。でも、人命を救うための緊急な行為として、許されると考えまして……」

「どれくらいの量の血を輸血したわけですか」

希は再び目を伏せて、唇を噛《か》みしめた。

「申しわけありません。私が不注意だったのです」

さっきと同じことばを繰り返した。

「最初、二百ccを三回輸血しました。山崎さんの腕から血液を抜いて、それに抗凝固剤を、その量の十分の一くらい入れて、それを主人の静脈へ入れるのです。そういうピストンを三回繰り返したわけですが、主人の状態がなかなかよくならないので、あと一回お願いすることにしました。八百ccぐらいまでは大丈夫だと聞いていたからです。ところがこれがまちがいでした」

四本目を志方の腕に輸血した直後、山崎の状態が急変した。顔が真っ青になり、脈が増えて弱くなって、見る見るショック状態に陥ったのである。

もう希の手に負えない。彼女は再び車へ走った。ワゴンを運転して青梅街道まで戻り、近くの民家に駆け込んだ。

そのあたりは青梅署の管内だと教えられ、署の電話番号を聞いて、そちらへ救助を求めた。電話を受けた吉本警部補が、救急車の手配をし、部下一人を伴って、署の車で彼女が電話をかけた場所まで急行した。そこから彼女を乗せ、彼女の案内でこの現場に到着したわけであった。

「申しわけありません。私が山崎さんを死なせてしまったのです」

一時は冷静に話していた希が、両手で顔を覆って泣きじゃくった。

「主人を助けたい一心で……でも取り返しのつかないことをしてしまいました」

さっきからそばで黙って耳を傾けていた若い刑事が、フーッと長い溜め息を吐いた。

「これはまた、ずいぶん特異なケースだなあ……」

素朴な実感を口に出した。

吉本は、すぐにはことばも見つからぬまま、まだどこか幼さを残すような女獣医の震える肩を見守っていた。

2

山崎の遺体は、いったん青梅署へ運ばれたあと、都内の大学病院で解剖に付された。外傷や毒物などは発見されず、多量の失血によるショック死と判定された。

死亡推定時刻も、救急隊員が山崎の遺体に触った時には、まだかすかに温もりが残っていたくらいだし、志方希の供述通り、九月九日午後一時前後と認めて問題ないようだった。

青梅市内の病院に収容された志方範夫は、手当てを受けて生命に別状なかった。

一方その間に、希は青梅署へ同行を求められ、刑事課長の和田と吉本警部補との二人から、改めて詳しい事情聴取を受けた。

といっても、吉本が現場で聞いた話ととくに矛盾するような点は出てこなかった。

希は、群馬県藤岡市の農家の生まれで、父親は希が二歳の時に病死した。その後、母親は小さな農地を人手に渡し、雑貨屋のような店を営みながら、女手一つで希を育てた。が、その母も希が九歳の時に死亡し、その後希は、同じ県内の富岡市でかなり手広く農業と酪農を営んでいた、母方の叔父に引き取られた。

地元の高校を出たあと、東京の農業大学獣医学科へ進んだ。

正式に獣医の資格を取ってからは、公営競馬場や乗馬クラブなどの診療所で仕事をしていたという。

「あなたのような若い女性が、獣医さんと聞いただけでもいささかびっくりしたんだが——」

刑事課長の和田が、ちょっと笑いを含んだ目で希を見回しながらいった。

「馬専門というのは、とりわけ珍しいんじゃないですか」

「女の獣医は最近ずいぶん増えてきています。でも、馬匹専門は、まるでいないというわけではありませんが、やはり珍しいほうかもしれません」

「どうしてそういう道に進まれたわけですか」

「馬が好きだったからです。叔父の家でも何頭か馬を飼ってまして、とても可愛かったもんですから。ただそれだけのことです」

希もまたかすかな笑いを滲ませたが、声は沈んでいる。

夫の志方範夫とも乗馬クラブで知り合ったということだ。

志方は東京のサラリーマン家庭に生まれ、大学を出たあと、現在の広告代理店へ就職した。会社はさほど大手とはいえないものだが、志方自身は、仕事の発展とか出世などより、好きなことをして生活を楽しみたいというタイプだった。ことに乗馬と釣りが趣味で、そのために比較的時間の自由がきく職種を選んだといっているほどだ。

結婚して三年になるが、二人の間に子供はない。どちらもとくに子供を欲しがってもいないという。

「山崎さんのことは、私、あんまりよく知らないんです」

山崎の話になると、希はまた固い表情になり、やり切れない様子で肩をすぼめた。

「主人は一年くらい前からとくにお親しくなって、何回かイワナ釣りにご一緒していました。家へも二、三度お寄りになったことがありました。ご自分の会社で扱っていらっしゃるオレンジやキウイなんかをいただいたりして、礼儀正しい感じのいい方だと思っていました。ご家庭には、奥さまと、もう大学の息子さんが二人おありになるように伺っていましたが」

「あなたが、山崎さんやご主人と一緒に釣りに行ったことも、いままでに何回かあったわけですか」

吉本が訊くと、

「いいえ、今日が初めてでした」

希は頭を振り、固く唇を嚙んだ。初めて付き合った機会に、こんなことを起こしてしまって、とまた鋭い悔恨に苛《さいな》まれている様子である。

それから和田は、希が今朝自宅を出てから、警察に事件を通報するまでの状況を、順を追って細かく質問した。が、希の答えは、現場で吉本が聞いた話と細部まで変わらなかった。

「抗凝固剤まで持っていたというのは……？」

和田がやや不審げに首を傾げた。

「ああ、それは、馬の瀉血、つまり血を抜くんですが、あとでその血液は免疫抗体の血清を作る会社へ売られるんです。そのために、凝固を防ぐクエン酸ソーダを入れるわけです」

「ほう……」

「本当に、なまじ注射器や抗凝固剤まで持っていたばっかりに、無我夢中で輸血してしまいました。でも私は、法律的に輸血をする資格のない人間ですし、おまけに判断を誤って……何とお詫びしていいか……どんな償いでもさせていただきたいと思います」

最後に希は深々と頭を垂れ、そのまま低くすすり泣いた。

志方範夫が収容されたままの青梅市の救急病院へも、吉本は足を運んだ。

最初担当医に会い、怪我の様子を尋ねた。

「右脚大腿部の内側に木の枝が刺さって、股動脈と股静脈を傷つけていました」

中年の医師が落着いた態度で答えた。

「股動脈を切るとなかなか血が止まらなくなることがあるんですねえ」

「では、八百ccの輸血はやむを得なかったと考えられますか」

「さあ、そのへんは……あとから傷を見ても、どれくらい出血したかはわかりにくいんです。やはりその場の、患者さんの状態で判断するほかないでしょうから」

そのあとで、吉本は志方の病室を訪れた。

病院でさらに輸血を受けたという志方は、もうふつうの顔色を取り戻していた。

ベッドに横たわらせたまま、簡単な事情聴取を行った。

だが、彼の話も希の供述と食い違うところはなかった。

「家内は、獣医の資格を失うことになるんでしょうか」

志方は心配そうに吉本を見あげた。

「さあ、どういうふうになるか、まだちょっと見当がつきませんが」

「とにかく、起きてしまったことは仕方がない。あんまり気落ちしないようにと、家内に伝えてやっていただけませんか」

志方は、山崎の遺族に対する心遣いなどより、妻への心配で頭を占められているかのようだ。

希をいったん帰宅させたあと、刑事課長の和田は本庁へ赴いた。事件の報告と、相談を兼ねてである。

話を聞いた捜査一課の管理官は、さらに東京地検の方面主任検事へ電話をかけて意見を求めた。とにかく非常に珍しいケースである。

夜八時近く、和田は青梅署へ戻ってきた。

「希の話が事実通りとすれば、医師法違反と、刑法の過失致死罪が適用されるだろう、という意見だったね。重過失致死罪の可能性もないとはいえない」

和田は、待っていた吉本やほかの捜査員らに本庁での話を伝えた。

「とはいえ、緊急の場合、一般の無資格者であっても、輸血行為は大目に見られることが多い。たとえば戦争中、前線では、日常茶飯事だったそうだよ」

捜査一課の管理官の父親は、第二次世界大戦でフィリピンへ行き、何回かそういう場面に遭遇した、という話を聞いたと語っていた。

「まして希は獣医だからね。もちろん獣医でも、形式上は医師法に違反するわけだが、単に輸血しただけなら、緊急避難的行為として、罰せられることはないだろう、というのが大方の見方だったね」

たしかに、希の行為は、緊急避難の条件を充たしていたともいえそうである。事故が発生した現場は、電話のある場所まで、徒歩と車でどんなに急いでも一時間はかかった。

それから救急車の出動を頼むのでは、おそらく志方の命は助からなかっただろうと推測される。しかも彼女自身がのべていたように、一種皮肉なことに、輸血に必要な道具は全部揃っていたのだ。

瀉血などの経験ある獣医であれば、やっても無理はなかったとさえいえるだろう。

「輸血自体は、罰せられるほどの行為ではない。とすると、問題は量を誤ったということですか」

吉本が考え込みながら尋ねた。

「うん。しかしその量も、微妙なところらしいんだね。これは被害者の検視を行った嘱託医に、本庁から電話して聞いた話なんだが、八百ccは必ず人が死ぬという量ではないそうだ。人間の循環血液量は、全部で六千ccくらいで、四百ccまでは普通に行われていて、とくにどうということはない。六百から八百ccで少し顔色が蒼くなってくる。八百ccを超すと、ちょっと危険という感じ。千cc以上で、人によっては死ぬことがあるという話だった」

「つまり個人差があるわけですね」

「そういうことらしいねえ」

「すると、起訴されたとしても、罰金程度でしょうか」

「うん、およその推測として、重過失にまでいく可能性は少ない。過失致死罪で、罰金刑だろうと……」

「では、獣医の資格はどうなります？」

志方の心配顔が吉本の脳裏をかすめた。

「罰金刑ですめば、資格を失うこともないんじゃないかな」

吉本は、希の顔を目に浮かべて、彼女のために少しほっとした。

ほっとする反面で、どこかに割り切れないものが残っている。

このままでいけば、一通りの裏づけ捜査のあと、おそらく彼女は在宅のまま送検され、起訴されても、軽罪ですむ。

不幸な事故によって、稀少価値ともいえる若い女性獣医の将来が失われるような結果にならなければ、それに越したことはないはずなのだが……？

「何かあるのかね」

別のことに気を取られているような吉本の顔に、和田が問いかけた。

「いや、とくには……ただ何となく……」

「え？」

「何というか、その……全体が何となく出来すぎてるような気がするんですよ」

3

念のため、関係者の身辺調査が行われることになった。この事件の背景に、たとえば何らかの犯罪に繋がるような動機関係はないか、といった点を確認するためである。

最初に想像されたのが、関係者三人の三角関係であった。

志方夫婦については、志方の勤務先、希が働いている公営競馬場や、乗馬クラブの診療所の同僚、二人が暮らしている善福寺のマンションの近隣などに聞き込みが行われた。

その結果、一言でいえば、希に惚れ込んだ志方が、押しの一手で彼女を陥落させたという印象であった。

志方は、自分の馬は持っていないが、八王子の乗馬クラブに週一回くらい通ってくる常連だった。それが希と知り合ってからは、彼女が来る日にはかならず姿を見せるようになった。二人の付き合いが始まったのは、結婚する一年ほど前だったらしい。

「婚約者だといって、いまの奥さんを紹介されたときには、正直なとこ吃驚《びっくり》したんですよ」

志方の勤務先の先輩社員の話である。

「だって、まあ、こういっちゃあなんだけど、志方君は人物はいいけれども、見かけはお世辞にもカッコいいとはいえないし、抜きん出て頭が切れるってわけでもありませんからね。齢のわりに髪は薄いし、背が高いほうでもないし。ところが希さんは、あの通りの美人で、齢も四つも若いっていうんでしょう。おまけに獣医だから、相当な稼ぎもあるはずだし……結局、希さんが一年も付き合って、志方君の情熱と誠意にほだされたってことじゃなかったんでしょうかね」

「とにかくご主人は、ほんとに奥さまを愛していらっしゃるって感じですものね」

訪れた吉本に話したのは、同じマンションの一階下に住む主婦である。希と同い齢のせいもあって、日頃から親しく付き合っていたそうだ。

「お仕事が広告代理店だから、時間的にはわりと自由なんじゃないでしょうか。しょっちゅう車で奥さまを仕事場まで送って行ったり、帰りが遅くなられる時には、ご主人のほうが、買い物やお料理までなさってるみたいでした。いえ、もちろん希さんもそれは可愛い奥さまで、ほんとに羨しいようなご夫婦だって、みんなでいつも噂してたんですよ」

夫婦仲は非常に円満だったというのが、どこでも聞かれる一致した意見であった。

では死亡した山崎は、志方夫婦とどのような間柄にあったのか？

事件の翌々日、九月十一日の朝、吉本警部補は部下一人とともに高円寺の山崎の家を訪れた。中央線の駅から歩いて十分程度の閑静な住宅地の中にあり、鉄筋二階建てのちょっと目をひくデザインの家だった。芝生の庭に、ゴルフの練習用のネットが張ってある。

あらかじめ電話で連絡しておいたので、妻の栄子が吉本たちをすぐ家の中へ請じ入れた。

庭に面した洋室に祭壇が据えられ、山崎の遺影が飾られている。造作のしっかりした男らしい顔立ちで、瞳には若々しい光が溢れていた。

吉本たちは焼香してから、改めて栄子と向かい合った。

栄子は今年四十七歳で、山崎より二つ若かった。子供は、大学三年と一年の息子が二人いる。

その程度のことは、事件当日、山崎の遺体がいったん青梅署へ運ばれたあと、駆けつけて来た彼女から聞いていたが、栄子は非常に取り乱していたので、突っこんだ事情聴取は差し控えていた。吉本は、もう一度、簡単な悔やみを述べ、それに対して栄子は黙って、ただ深々と頭を下げた。

小柄な痩せ型で、顔も小さくて細い。ひっ詰めの髪や喪服が、よけいそれを強調しているのかもしれないが、どことなく存在感の薄い女性といった印象を拭えない。生前はなかなか魅力的だったかと想像される山崎とは、必ずしも似合いの夫婦とはいいにくい感じである。

吉本が口を開きかけると、

「お話はあちらで」

と、栄子が喪服の袖を動かした。

祭壇のある部屋には、葬儀社の者らしい黒背広の男や、手伝いの女性なども絶えず出入りしている。解剖された遺体は、その夜のうちに自宅へ帰され、今日の午後葬儀が行われると聞いていた。

吉本たちは栄子に案内されて、応接室へ移った。

「結婚してどれくらいになられますか」

吉本は、努めて気軽い口調で話しかけた。

「今年でちょうど二十五年でございました」

「失礼ですが、お見合いですか」

「ええ、まあ」

「お生まれは、お二人とも埼玉県のほうと、昨日伺ったように思いますが」

「はい、埼玉県の本庄でございます。私の父がそちらで会社をやっておりまして。主人は結婚するまで、地元の銀行に勤めていたんですけど」

吉本の質問に誘導されるように、栄子が途切れがちに話したところによると、埼玉県本庄で、運送会社を経営していた栄子の父が、会社に出入りしていた銀行員の山崎を見込んで、長女の栄子と見合いさせたようである。結婚後、山崎は銀行を辞めて、栄子の父の会社を手伝うようになった。

「でも、本庄で暮らしたのは八年間でございました。父が脳溢血で亡くなりまして、そのあと一年ばかりは、山崎が社長になって会社をやっていたんですけれども、もともとあの人は東京で事業がしたかったのです。それで私の妹の主人に会社を任せて、家や土地も処分して、東京へ出たわけです」

今から十七年前のことで、関越自動車道が開通する直前だった。インターチェンジに近い山崎たちの家は、土地が急激に値上がりしていた。

土地を売った金を資本にして、山崎は東京で、アメリカからフルーツを輸入する会社を始めた。無論それも、本庄を離れる以前から準備していたことであった。会社は順調に業績を伸ばし、現在では小金井に本社と倉庫がある。この家を建てたのは、約十年前だという。

「ご主人は以前から釣りがお好きだったわけですか」

吉本は質問を転じた。

「はい、本庄におりました頃からゴルフと釣りが趣味で、東京へ出てまいりました当初は、さすがにそんな暇もなかったようですが、ここ数年は、またずいぶんまめにあちこちへ出かけておりました」

「志方さんとも釣友会で知り合われたそうですね」

「はい……」

吉本は少し黙って待ったが、栄子はそのまま俯いて、白いハンカチを口許に当てた。

「志方さんには、奥さんもお会いになったことがありましたか」

「はい。何回かここへお寄りになったこともありましたし、よく主人の話にも出ておりました」

「奥さんの希さんとは？」

「いえ、あの方とは事件の夜が初めてでございました」

一昨日、希は青梅署での事情聴取が終わったあと、その足で山崎の家へ謝罪に行くといっていた。

「ご主人は、志方さん夫婦と、何かトラブルがあったというふうなことを話されたことはなかったでしょうか」

「いいえ、別に私は聞いておりません。志方さんとはとても気の合う、いいお友達のように伺っておりましたけれど、まさかこんなことが起きるなんて……」

栄子は声を詰まらせ、涙が滲み出た目をハンカチで押さえた。

「失礼なことをお訊きしますが、ご主人は、女性関係などはどんなふうだったんでしょうか。つまりその、ときどきは浮気をされてた形跡があったとか……？」

栄子はハッとしたように顔を上げ、それから二、三度、激しく首を横に振った。

「いいえ、その点ではほんとに真面目な人でした。お酒もいけるほうでしたし、釣りとかゴルフとか麻雀とか、遊ぶことは大好きでしたけれど、俺はそれでストレスを発散しているんだと、よく申しておりました。さっぱりした男らしい性格の人でしたから、女の人と深入りして、ごちゃごちゃ気を遣うようなことは性に合わなかったんだと思います」

「なるほど。では、女性関係とは限らないとしても、ご主人が何か人に恨まれるとか、争いに巻き込まれたというふうなことはありませんか」

「さあ、仕事や外でのことは、あまり家では話さない人でしたから……。でもあの人に限って、そんなことはなかったと思います」

栄子は、夫の外での生活はあまり知らなかったようだ。知らないまま、ただ夫を信じ、頼りきって生きてきた、幸せでおとなしい妻。吉本は、最初から栄子に抱いていた印象を強くした。

それでは、山崎には妻の知らない別の顔があったのだろうか？

4

しかしながら、家庭の外でも、山崎に関して耳寄りな情報が浮かんだというわけではなかった。山崎の会社へも捜査員が赴いて、突然の社長の死で右往左往している社員たちから、何とか話を聞き集めた。が、とくに山崎が最近何らかのトラブルを抱えていたとか、人に恨まれていたというような形跡は認められなかった。

女性問題についても、たとえば行きずりのちょっとした浮気程度なら、身近な社員でも知らなかった可能性はあるが、決まった女がいたというふうではない。志方希が会社へ現れたとか、よそで会っていたなどという話も、いっさい聞かれなかった。

山崎の会社の取引先、彼の行きつけだったクラブなどへも、捜査員たちは足を運んだが、結果はどこでもおよそ同じだった。

夕方の会議では、それらが次々と報告された。聞き込みの収穫というより、収穫がなかったことが報告されたというべきであろう。

「山崎と志方夫婦との三角関係という想像は、ちょっと無理なようだね」

刑事課長の和田が引き取るようにいい、居合わせたものたちは、みな同意の表情で頷いた。

「すると結局、希や志方の供述通り、不幸な偶然が重なったというか、偶発的な事故と考えるほかないんでしょうか」

吉本は、まるで自分自身を納得させるように呟《つぶや》いた。

いっとき沈黙が流れた。

「あのう……」

若手の刑事が、少し遠慮がちにことばを挟んだ。吉本を見て、

「亡くなった山崎さんは、埼玉県本庄市の出身ということでしたね」

「そうです」

「志方希のほうは、藤岡市の生まれといわなかったですか」

「そう、群馬県藤岡市の生まれだが、両親が早くに亡くなったあと、一人になって、富岡市の叔父さんの家に引き取られたという話だった」

「藤岡市と本庄市といえば、県は違いますがずいぶん近いですね」

えっという感じの視線が彼に集まった。

「いえ、僕は高崎出身なもんですから、あのへんのことはある程度わかるんですが、たぶん直線では十キロくらいしか離れていないんじゃないでしょうか。いや、これは単なる偶然かもしれませんが」

会議室の壁に、日本地図が貼ってあった。一人が立っていって、そのあたりを指で辿《たど》った。

「なるほど、上越新幹線と関越自動車道を間に挟んで、東西に並んでいる恰好ですね」

とその刑事がいった。

「そうだなあ、十キロくらいかなあ」

「いや、山崎の家は本庄のインターチェンジのそばということなら、実際はもっと近かったかもしれませんね」

偶然だろうか？

吉本も胸の中で反問した。

希が九歳のとき、つまりいまから二十二年前、藤岡市を離れたとき、山崎は既に結婚し、二十七歳で本庄に暮らしていた計算になる。

希は藤岡市で生まれ、二歳の時父が、九歳で母が死亡して、富岡市に引き取られたという話だったが、考えてみれば希の両親は、二人ともずいぶん若くして世を去ったわけだ。父親は心臓発作と聞いたように思うが、母親はどうして亡くなったのか。長女で一人っ子の希が九歳の時なら、母親はせいぜい三十そこそこと思われるわけだが。

「希の母親は、何で亡くなったという話でしたかね」

吉本は、一緒に聴取にあたった刑事課長を振り向いて尋ねた。和田は一瞬、虚を突かれたような顔をしたが、

「病死と聞いたように思うが」

あまり自信のない口調である。吉本の内心と同じだ。父親が病死であったため、母親も何となく病死と聞いたような印象を抱いているだけで、はっきりと確かめた憶えがなかった。

迂闊《うかつ》だった。これがたとえば検事の取り調べであれば、幼少時からの家庭の事情などまで詳しく話させるわけだが、警察では、当面、事件と直接関わりのある事柄に絞って聴取する。

だが、吉本は妙にその点が気になり始めた。昼間の希の事情聴取を思い返してみると、なんとなく、希が母の死因には言及せずに、さらりと通してしまったような印象が浮かんでくるのである。

吉本は、突きとめる方法に思いをめぐらせた。

希たちの階下に住む主婦の顔が頭に浮かんだ。希と同年で、かなり親しい間柄らしかったから、期待が持てる。

「ちょっと失礼します」

吉本は刑事課長に断わって席を立った。

電話のある場所まで行って、聞き込みのさいにメモしておいたマンションの番号をダイヤルした。

しばらくして、「もしもし」と聞き憶えのある女の声が応じた。

「ああ、青梅署の吉本ですが、昨日はありがとうございました。申しわけありませんが、もう一つ、知っていらしたら教えていただきたいことがありまして」

「………」

「志方希さんは、九歳の時にお母さんと死に別れて、叔父さんの家へ引き取られたという話なんですが、お母さんは何の病気で亡くなったか、お聞きになったことはありませんか」

いっとき沈黙があった。

が、次に答えた声は、自信ありげにきっぱりしていた。

「思い出しました。希さんのお母さまは、病気ではなく、事故だったと思います」

「交通事故ですか」

「いえ、それが何か、暴風雨の晩に、家の外へ出て、飛んできた瓦が頭にぶつかって亡くなったとか、以前に伺いましたが」

5

志方希が生まれた家の住所は、藤岡市の南のはずれに近く、国道254号線から少し離れた県道沿いに当たった。

九月十三日、月曜、吉本警部補は、住所を頼りにその場所を訪れた。

だが、母親が雑貨屋を営んでいたという彼女の生家はもうない。それは前日希にもう一度聴取して、それとなく聞いていた。彼女が子供の頃は、周囲はほとんど田圃や畑ばかりだったといっていたが、現在では、ところどころにスレート屋根の住宅が建っている。

家々はどれも案外新しそうで、昔ながらの農家といった佇《たたず》まいの家は、あまり見当たらない。

それでも吉本は、なるべく古そうな家を選んで立ち寄り、警察手帳を示して質問を試みた。

いまから二十二年前まで、このあたりに住んでいた松井という一家を知らないか——?

松井というのは希の旧姓である。

応対に出た主婦たちは、どこでも首を傾《かし》げた。たいてい三十代から四十代にかけての主婦たちだったので、たとえ当時から彼女たちがここに住んでいたとしても、まだ子供だったことになる。

吉本は最寄りの警察署へ足を向けた。

所轄南警察署の署長は、五十過ぎのきびきびと話す人物だった。

吉本は、現在自分たちが扱っている事件の容疑者が、二十二年前、九歳の時までこの近くに居住していたこと、母親が事故死した模様などを告げ、その当時の事情はわからないだろうかと尋ねた。

「二十二年前というと、昭和四十六年頃ですね。その頃私は別の署にいましたから、直接にはわかりませんが、当時ここに勤務していた者が、現在は北署の署長になってますよ」

署長は、ちょうどよかったという口調で答えた。

「実は私と同期なんですがね、つい最近も会って、そんな話をしたばかりです。彼なら何か憶えているかもしれませんよ」

吉本はタクシーを呼んでもらい、市のちょうど反対側に当たる北警察署を訪れた。

北署の署長は久保田といい、なるほど南署の署長と同年輩だが、対照的にゆったりとした雰囲気を持つ、肥満体の人物であった。

吉本は同じ用向きを久保田に伝えた。

「ああ……私はまだ二十七、八で、刑事課にいたんですが、台風の晩、若い奥さんが、飛んできた瓦が頭にぶつかって亡くなったことがありましたねえ」

久保田は、ほとんど懐かしそうに目を細め、ゆっくりと記憶を辿りながら語ってくれた。

十月の初め頃、中型の台風がこの地方を通過したことがあった。その年は、秋の初めになって、立て続けに台風が襲来したことを憶えている。

その時は、雨はさほどではなかったが、一晩中強風が吹き荒れ、あちこちで家が壊れたり、立木が薙《な》ぎ倒されたりの被害が起きて、死者一人と何人かの怪我人を出した。

死者の名を久保田は記憶してなかったが、これは吉本のほうでわかっている。松井綾子、三十歳のはずだ。

「そうそう、松井さんといいましたかね。ご主人に先立たれて、女の子と二人暮らしだった。綺麗な人でしたよ」

翌朝早く、裏庭で母親の遺体を発見し、警察へ電話したのは、一人娘の希である。当時九歳、小学三年生だった。

希の話によると、彼女はいつもの通り前夜九時頃床に就いた。母親はまだ起きていた。翌朝、希は、いつもなら母親に起こされるのだが、その朝は、なぜか自分から目を覚ました。起きると、家の中に母親の姿が見えない。前夜の嵐はすっかり収まっていた。希は母親を呼びながら裏庭へ出て、物干し台の足元に倒れている母親を発見した、ということであった。

「私が現場へ行ったんですよ」

と、久保田は痛ましさと懐かしさをないまぜにしたように眉根をひそめた。

「綾子さんは、頭から血を流していて、そばに灰色の瓦が落ちていました。すぐ医者を呼びましたが、もう亡くなってましたね。瓦は隣りの家の屋根から落ちたものらしく、ほかにも二、三枚、家の周りに散らばっていました」

「一応、検視とか解剖とかはされたんでしょうか」

と吉本が訊いた。

「もちろん、鑑識のものが現場へ来て、検視はしたと思います。しかし、瓦に血がついていて、頭の傷と一致しましたし、ほかには、べつに不審な外傷のようなものはなかった。解剖まではしなかったんじゃないでしょうかね」

「つまり、事件の臭いがなかったわけですか」

「まあ、あんまり詳しいことまでは思い出せないですが、一通りの調べはしたように記憶しています。綾子さんが、どうして夜庭に出たのかとか、その頃不審な人影を見たような人はいないかとか……」

「どうして庭へ出たわけでしょうか」

「それははっきりとはわからなかったんですが。洗濯物はもう取り込んでありました。ただ、庭の隅の棚に鉢植えを並べて丹精していましたんでね、それを家の中に入れようとしたんじゃないか、とは考えられました。子供からも、一応、事情を聞いたんですが」

「希さんですね」

「小学三年といっても、学校もよく出来たし、評判の利発な子でね——そうそう、電話がかかってきたみたいだといってたですね」

「いつです？」

「前夜、蒲団に入ってうとうとしてた時、電話のベルが鳴ったような気がすると。しかしそれっきり、自分は眠ってしまったので、はっきりしたことは憶えていないというんです」

「誰からかかった電話かは、わからなかったんですか」

「わからずじまいでしたね。ですから、強いて勘繰れば、何者かが綾子さんに電話をかけ、外へ誘い出したと想像出来なくもなかったわけですが……」

「それらしい人物は挙がらなかった？」

「近所の人たちにも聞き込みはしましたよ。雑貨屋だから、まあいろんな客が出入りしていたんでしょうが、とくに綾子さんと親密らしい人とか、反対に、彼女を恨んでいたような人はなかったか。希ちゃんにも、日頃どんな客が来ていたか、お母さんととくべつ親しくしていたような人はなかったかとか、いろいろ尋ねたわけですが」

近隣では、これという情報は得られなかった。というのも、田舎の夜は早い。八時頃になると、どこもみんな雨戸を閉めてやすんでしまう。それ以後に誰か人が訪ねて来てもわからないわけである。

希も子供だから、たいてい九時頃には眠ってしまったという。それでも希は、二、三度、人の話し声で目を覚ましたとき、男の人が来ていたことがあったように思うと答えた。

「そうそう、来客の男の名前も憶えていたと思いますよ。母親が口に出したのを聞いたとかで。もっとも、いつもその男が来ていたとは決められないわけですが」

「その男の名前は？」

「さあ……」

久保田は苦笑混りで頭に手をやった。

「山崎真というんじゃなかったですか」

「うーん……」

確定的に思い出すのは無理のようだ。

「そんな苗字だったような気もしますが。とにかくこの町には多い苗字でね、近所にも二人ほどいたんだが、特定できなかったんですよ。綾子さんとの関係もはっきりしなかったし」

そもそも希の記憶自体が絶対的とはいえなかった。

「それとまあ、たとえばその人物が特定されたとしても、何らかの犯罪を証拠立てることは、非常に難しい状況でしたからね。現に何枚も瓦が飛んでいたし、よそでは倒れた看板に当たって大怪我をした人もあったわけです。まあ、それやこれやで、結局事故に収まったんだと思いますが……。ところで希ちゃん、いやもうそんな齢でもないでしょうが、彼女がなにか？」

吉本は事件のあらましを伝えた。

「ほう、変わった事件ですな」

久保田は首を傾《かし》げて呟いたが、それ以上の感想も出ない様子であった。

「それにしても、あの子が獣医さんにねえ。お母さん似の可愛い子で、そういえばとにかく近所の家畜をとても可愛がっていたのを憶えてますよ。もう三十一ですか、早いもんですなあ」

久保田は、希が獣医になったことのほうに、より感慨を覚えているようにも見えた。

6

藤岡北警察署から、関越自動車道の本庄児玉インターチェンジの下までは、タクシーで約二十分かかった。およそ十五キロの行程であった。

約十五年前まで、山崎夫婦が暮らしていたという家も、見つけることは出来なかった。しかし、住所地のあたりの家々を根気よく訪ねて歩くうち、山崎夫婦のことを憶えているという人にぶつかった。インター近くにあったそば屋の主人で、五十絡みの男だった。

「山崎さんとこは、あのへんにあったんですよ」

彼は道路を隔てた先にある四、五階建てのマンションのあたりを指差した。

「ご夫婦ともよくうちに見えてくれましてね。山崎さんは、真面目なおとなしい人でしたよ。こういっちゃなんだが、まあ実質的には婿養子みたいなものでしたからね。さすがに奥さんのお父さんの眼がねに適《かな》った人だと、女房とよく噂してたもんですが」

「しかし、山崎さんたちは、奥さんのお父さんが亡くなった後、間もなく家を処分して東京へ出られたわけですね」

「ええ、ちょっと意外だったですけどね。山崎さんにもやっぱりそういう野心があったんでしょうな」

近隣で山崎夫婦を憶えている人は、ほかにも二、三人いたが、山崎真は非常に真面目で温厚な人物で、悪い噂など聞いたこともなかった、というのが一致した証言であった。

「しかしですね――」

その日の夕方、署へ戻って一連の報告を終えた後、吉本は自分の意見をつけ加えた。

「真面目で奥さんを大事にする、おとなしい婿養子であった山崎真に、もう一つ別の顔があったのではないか、とは想像出来ないでしょうか」

いまから二十二年前、山崎真は、他県ではあるが、自宅から十五キロほどしか離れていない松井綾子の雑貨屋へ立ち寄り、綾子を見初めた。当時山崎は二十七歳、綾子は三十歳、まだ美しい未亡人だった。

二人は深い仲になった。

しかし、山崎のほうでは、離婚して綾子と結婚するような気持はさらさらなかった。そんなことをすれば、いままで婿として務め上げてきた忍耐や努力が、水の泡になってしまう。

山崎と綾子の間に、どのような経過があったかは不明であるが、たとえば綾子に結婚してほしいと迫られ、でなければ二人の間を世間に公表するとでも詰め寄られた山崎は、綾子を抹殺する決心をする。

台風の夜、彼は希が寝入った頃を見計らって、電話をかけ、綾子を外へ呼び出した。

裏庭へ出てきた綾子を、背後から襲い、落ちていた瓦で頭を殴打して、殺害した。

小学三年であった希は、山崎という姓と、彼の顔を憶えていた。しかし彼が母親を殺した犯人とは確信出来ないし、その証拠もないまま、二十年余りが過ぎた。

ところが、偶然、夫の志方が釣り友だちの山崎を家へ連れてきた。希は、山崎の顔を忘れていない。たとえ百パーセントの自信がなかったとしても、それとなく山崎の経歴などを尋ねてみれば、それがかつて母親を訪ねてきていた男と同一人物であることは、ほぼ突き止められたであろう。一方、山崎のほうでは、希の顔がわからなかった。九歳の少女は三十一歳の人妻になっており、苗字も変わっている。山崎には何の警戒もなかった。

「希は、山崎が、かつて自分の母親を殺した犯人であると確信したのではないか。しかし、それを立証する方法はない。たとえ当時、山崎真が浮かんでいたとしても、やはり彼の犯行は証明出来なかったかもしれません。つまり彼は、単純だが、巧妙な完全犯罪を行ったともいえます。そこで希は、復讐を決意した。相手が、決して立証出来ない方法をとったならば、自分もまた同様の方法で、彼に復讐しようとしたのではなかったでしょうか」

「しかし、希はどうやって、山崎真が母を殺した犯人だと確信するに至ったんだろうか」

いっときの沈黙のあとで、和田刑事課長が口を開いた。

「まあ、女の勘とでもいうんでしょうか。具体的なことは、私にも想像がつかないんですが」

「復讐というのは、つまり、先日の輸血事故が、故意に行われたということですか」

若手から質問の声が上がった。

「その通りです。希は、夫に事情を話して協力を求めた……」

あの日、志方夫婦は、山崎を殺すつもりでイワナ釣りに出かけた。

昼食後、山崎がうたた寝している頃合を見て、志方が、わざと岩で足を滑らせ、倒木の枝で大腿部を切った。あるいはそう見せかけて、同じような道具でわざと傷つけたのかもしれない。

希のほうは、止血に手間取るようなふりをして、このままでは志方の生命が危ない、輸血させてほしいと、山崎に迫った。山崎は承知せざるを得なかった。

希は車へとって返し、馬匹用の注射器と抗凝固剤を持って戻ってきた。

山崎から八百ccの血を採って、志方に輸血した。

「いや、八百ccというのは、あとで希が供述したことであって、あるいは千も、千二百も採ったかもしれませんね。いまとなっては証明出来ないわけです。山崎がショック死すると、希は男たちを残して、救助を求めに走った」

「それにしても、夫の志方は大変な犠牲を払って、復讐に手を貸したことになりますね。いくら希に惚れ抜いていたとはいえ……」

別の刑事が、多少疑問を含んだような意見をのべた。

「いや、必ずしも、それほど大変な危険をおかしたのではなかったのかもしれない。傷はそんなに深くなくても、獣医である希が危険な状態だといえば、山崎は信用するほかなかったかもしれません」

「それにしても、相当な出血だったねえ」

和田が口をはさんだ。彼は、志方が救急車で署の近くの病院へ運ばれた直後、そちらへ赴いて、志方の状況を見ている。担当医からも様子を聞いていた。

「右脚の股関節から下が、どっぷり血に浸っているという状況だったからね」

「まあ、でも、それは獣医である希が、生命に危険はないと判断した上での出血だったんじゃありませんか」

「しかし、そのあたりをどうやって証明するのかね」

「……」

「希は、何らかの理由で、二十二年前の山崎の完全犯罪を見抜いた。そこで自分も、決して立証出来ない方法で、母親の復讐を企てた。その推理までは、納得出来ないわけでもないが、もしその通り実行したのだとすれば、彼女の選んだ方法は、まさに外部からでは立証困難なのではないだろうか」

このまま送検されれば、彼女は、過失致死罪か、最悪でも重過失致死罪で、獣医の資格を剝奪されないとも限らない。だが、それくらいは覚悟の上だろう。彼女は、見事目的を達したことになるわけか……？

「いや、彼女の殺意さえ立証できれば……」

とにかく、明日、希をもう一度署へ呼んで、厳しく追及してみる、ということでこの日の会議は終わった。

吉本が、歩いて十五分ほどのところにある自宅へ戻ると、昨年結婚した長女の保子が、「お帰りなさい」と彼を迎えた。

今年四十四歳になる吉本は、二年前に、子宮癌で妻に先立たれている。その後は、長女の保子が家事を引き受けていたが、彼女も結婚して、現在は保谷にある夫の社宅に住んでいる。近いので、ときどき父親の様子を見に来てくれる。子供はほかに、保子より一つ下の長男がいたが、そちらは地方の大学へ行って、寮生活をしていた。

「孝之君も元気か」

吉本は着替えをしながら、保子に尋ねた。保子の夫は石油会社に勤めるサラリーマンである。

「ええ、なんだか忙しそうよ」

台所に立った保子は、背中を向けたままで答えた。

保子の手で夕飯が調《ととの》う頃、吉本はふと思いついて、今度の事件のあらましを彼女に話してみた。

「そこで、もし仮にだ、お母さんが何者かに殺害されたとする。お前は犯人を突きとめて復讐しようと決心した。その場合、孝之君は、お前にそこまでの協力をしてくれるだろうかね」

「そこまでって、つまり木の枝で太股を切るってこと？」

保子は面白そうに問い返した。

「ああ。足の付け根から先が、どっぷり血に染まるほど出血してね」

「それは無理よ」

保子は笑い出した。

「だって、男の人って、すごく血に弱いんですもの。この間も、私がちょっと包丁で指を切って、その血を見ただけで、あの人ったら真っ青になって、まるで自分が貧血を起こしそうになってるの。だいたい男の人は、女と違って、血に弱いみたいよ。その点、女は中学生頃からつき合ってますけどね」

「血に弱いか……」

娘の意見は、一つの示唆を含んでいるようでもある。

吉本は考えこんだ。

仮に、志方が、わざと太股に怪我をして出血したとする。ある程度の出血を見ただけで、山崎は動転したかもしれない。輸血をしなければ生命が危ない、という希のことばも、素直に信じた。

しかし一方、志方のほうも、それほど大量の出血には、堪えられないといったかもしれない。

山崎に供血を納得させ、かつ、志方にも堪えられる程度の出血で止めなければならなかった。

いや、たとえ山崎はごまかせても、志方の出血が少なすぎれば、後で病院で疑惑を抱かれることになる。なぜこの程度の出血で、希は輸血に踏み切ったのかと。

実際、志方の片足は、どっぷりと血に浸されていた。だから、病院でも、誰も不審は抱かなかったようだ。

もっとも、担当医がこんなことをいっていた。

「あとから傷を見ても、どれくらい出血したかは、わかりにくいんです」

希は、志方の生命を助けるために、山崎から八百ccの血を輸血したと供述した。だが、実際には、千も千二百ccも採っていたかもしれない。いや、もっとかもわからない。

さっき署で交わした会話と、現在の思考が、吉本の頭の中で絡み合った。

「お父さん、ご飯が冷めるわよ」

保子に促されて、彼は箸を取った。

と同時に、はっと彼は口を開けた。

頭の中で、何かが弾けたような感覚があった。

7

翌朝、署へ出るなり、吉本は和田刑事課長と相談の上、志方の血塗れのズボンと下着を、本庁の鑑識課へ届ける手筈《てはず》をした。

検査の結果は、昼前に青梅署へ伝えられた。電話を切った後、吉本はわが意を得た面持で、和田にその内容を伝えた。

「やっぱりそうでした。志方のズボンと下着に染みていた血を、ABO式、Rh式と順に調べたところ、A型でRhプラス、ところが、同じRhプラスでもR1型とR2型の二種類の血液が認められた。これは、よくあるR12型ともちがい、つまり二人の人間の血液が混ざっていたということだそうです。ほとんど半々ぐらいの量じゃないかという話でした」

「やっぱりそうだったか」

和田も同じことばを呟いて、深く頷いた。

希は再び署へ呼ばれた。

「あなたは、いったい山崎の身体から、何ccの血を抜いたのですか。ご主人に輸血する必要がなくなって以後も、あなたは山崎から血を採り続けた。余分な血は、ご主人のズボンにかけて、出血が非常に多量だったように、擬装したのだ」

いきなり吉本に決めつけられると、希は顔面を硬直させた。

「それが証拠に、ご主人の衣類から検出された血は、R1型とR2型の二種類が混じり合っていたよ」

希は、観念したように目を瞑ってうなだれた。

「申し訳ございませんでした。でも、最初から山崎さんを殺すつもりではなかったのです」

あとは淡々と供述した。

あの日は、山崎に誘われて、三人でイワナ釣りに出かけた。希は帰りに、八王子の乗馬クラブへ寄るつもりだった。

ところが、昼食がすんだあと、志方が岩の上で足を滑らせ、倒木の枝の先で内股《うちもも》を深く傷つけた。

なかなか血が止まらない。

そのとき、希の頭に、輸血のことが閃《ひらめ》いた。車には、八王子の乗馬クラブで馬の瀉血を行うための道具が揃っている。志方の血液型はA型、自分はBだから無理だが、もし山崎の血液型が合えば、いざという場合、輸血することも出来るのではないか。

山崎に尋ねてみると、A型でRhプラスだと答えた。クロスマッチはできないが、信用していいと思った。しかし、幸いなことに、懸命に止血を試みるうち、だんだんに出血がおさまり始めた。これならば輸血をしなくても、生命に別状はないと思った。

「でも、私はその時、山崎さんに申しました。このままでは、主人の生命が危ないのです。あなたの血を少しばかり輸血させていただけないでしょうか。山崎さんは、戸惑った様子ながらも、承知してくれました。私は車へ駆け戻り、道具を持ってきました。二百ccの注射器で、まず主人に四回輸血しました。八百ccの血を入れると、主人は見る見る血色を取り戻しました。山崎さんのほうも、少し顔が蒼くなった程度で、危険な状態ではなかったのです。しかし私は、彼からさらに、二百ccを二回抜きました。山崎さんは、ショック状態に陥りました。私は、山崎さんの血を、主人のズボンにかけて、出血が実際以上に激しかったように装いました。これはご推察の通りです」

「そうやって、過失致死に見せかけて、山崎を殺したわけだな」

和田が、だめ押しするように訊いた。

「はい……」

「山崎を殺害した動機はなにかね」

彼は希の供述を促した。

「山崎さんは、二十二年前、私の母を殺した犯人です」

ほぼ推測通りの答えが返ってきた。

「私は、当時小学三年生で、山崎さんの名前と、顔を憶えていました。でも、その時は彼の所在もわからず、犯行は立証されませんでした。

その後、私は、長い年月、真相を糺明しようとしたり、復讐の機会を狙っていたというわけではありません。確信がなかったからです。

山崎さんが、どこでどうしているのかさえ、知りませんでした。

ところが、ちょうど二年前、主人が釣友会のお友だちだといって、山崎さんを家に連れてきました。私は、一目で彼だとわかりました。

さらに、それとなく出身地のことなど尋ねて、母の事件当時本庄市に住んでいたことを突き止めました。それでいよいよ彼が、あの頃私たちの家に出入りしていた山崎にまちがいないと確信したのです。

彼のほうでは、私に気がついていませんでした。

そして、先日、さっき申し上げた通りの状況が発生して、私は、いまこそ母の敵を討つ機会が巡ってきたのだと思いました。山崎が、絶対に立証されない方法で母を殺したのなら、私もまた、同様なやり方で復讐を遂げようと決心したのです」

「しかし、どうしていまになって、山崎が確かにお母さんを殺した犯人だということがわかったのか」

吉本が訊いた。希はちょっと唇を嚙むようにして黙っていたが、再び感情を抑えた口調で答えた。

「はじめて山崎がうちへ来て、私と会ってから、半年ほど経った頃、主人が出張して留守の夜、突然彼が私を訪ねてきました。何か用事がある様子でしたので、私は警戒もせずに、居間へ通しました。ところが、突然あの人は、私を求めてきたのです。

求めるというより、犯そうとした、といったほうが当たっていたと思います。ふだんは温厚で、冷静に見える顔が、別人のように異様な形相に変って、私を壁に押しつけました。そして、私の足を踏んで、私を動けないようにして、唇を奪おうとしました。私は、その瞬間に、やっぱりこの男だったのだと気がついたのです」

「やっぱりとは？」

「二十二年前、母が亡くなる少し前、私は、何か人が言い争うような気配で、目を覚ましたことがあります。襖をそっと開けて、その隙間から隣りの部屋を見ると、背の高い男が、母を壁に押しつけていました。その男は、母の足を踏んで、母を動けないようにしていたのです。

私が、思わず『あっ』と声を立てたので、男はすぐに母から離れました。そして部屋を出て行きました。私は、何か怖い夢でも見たような気がして、心臓がどきどきしましたが、そのまままた眠ってしまいました。

母が亡くなった当時、私は、山崎の顔と名前は憶えていましたが、彼と母との関係がわかりませんでした。でも、今になって、山崎に同じことをされて、はじめて、あの時の男は山崎で、山崎と母は特別の関係だったのだと推察できたのです。

おそらく山崎は、力ずくで母を犯し、そのあと、母が邪魔になったので、台風の夜、母に電話をかけて戸外へおびき出し、事故を装って殺したのに違いない、と確信したのです」

「そこで、ご主人に事情を打ち明け、協力を求めたというわけか」

「協力？」

希は、そう問い返して、すっと顔を上げた。どこかまだ少女の影が残るような貌《かお》に、思いがけず毅然とした表情が浮かんでいた。

「主人は、いっさい関わっていません。あの日、主人が転んで、太股を切ったのは、本当に偶然だったのです」

「なに……」

「さっきも申しましたが、私は最初から山崎を殺すつもりで釣りに行ったのではありません。輸血の事故を装って、復讐しようとしたのは、主人が怪我をしたあとで、私が咄《とっ》嗟《さ》に考えついたことでした。主人は本当に何も知らないのです」

男は血に弱いといった娘のことばが、吉本の脳裏に蘇《よみがえ》った。

五分々々だな――

彼は胸のうちで呟いた。

希を愛する志方が、多量の出血に堪えてまで、彼女の復讐に手を貸したのか、あるいは、いま希がのべた通り、志方の怪我は全くの事故で、そのあと彼女が咄《とっ》嗟《さ》に踏みきった犯行であったのか、がである。

たとえ前者だったとしても、希は、あくまで夫の共犯関係を否定し、自分一人でやったと言い張るつもりであったのだろう。

二人が口を割らない限り、その真意までは、証明し切れないのではないか？

五分々々とは、希と自分たちとの勝負の結果でもあるように、吉本には思われた。

深夜の偶然

練習問題を一つ解き終えるたびに彼はチラリと机の上の時計に目をやり、それから顔をあげて窓の外へ視線を向ける。うすいレースのカーテン越しに、何を見るというのでもなく、ただわずかの間頭を休めて、また時刻を確かめてからつぎの問題にとりかかる。そうしていれば、一問に何分かかったかわかるわけで、それが彼の身についた習慣になっていた。

都立高校二年の彼が勉強している部屋は、テラスハウスの二階南向きで、窓の外には家の前庭と、幅約六メートルの公道を挟んで、モルタル二階建てのいかにも古ぼけたアパートがドアの並んだ北側をこちらへ向けている。この辺は、かなりの高級マンションからそんなアパートまでが混在している住宅街である。

梅雨明け直前のひどく蒸し暑い夜だった。

七月十六日火曜午前一時四十分頃、一つの人影がそのアパートの一階東端の戸口へ歩み寄った。この頃の晩は、そこのドアはたいてい開けっ放しにされ、代りに網戸が立ててある。おそらく南側の窓も開放して、風通しをよくして寝ているのだろう。毎日見るともなく目に入るので、彼は漠然と想像していた。

戸口へ歩み寄った人影は、内部を窺《うかが》うようにしていたが、やがて両手で網戸を半分ほどずらして、中へ入った。きちんとした網戸がはまっているのではなさそうだった。

その後は物音も人声も聞こえなかった。

彼が数学をまた一題解き、時計の針が一時五十五分に接近しているのを認めて顔をあげると、ちょうどさっきの人影が網戸の隙間から外へ出てきた。網戸を元通りに直すかと思ったが、それはせず、足早やに道路へ降りて歩み去った。

彼はさらに二題片づけた。午前二時二十五分になっていた。今夜はここまでにしようかと、少し迷っていた時、再び彼の視野に人影が現われた。それがまた一階東端の戸口へ近付いた。が、同じ人が戻ってきたのではないと、なかば直観的に感じたのは、服装やシルエットのちがいと、先の人が歩み寄ったのとは別の方向から来たせいでもあった。

その人影もいっとき内部を覗《のぞ》きこんでいたが、網戸の隙間から身体を斜めにして入った。

今度は出てくるまで五分あまりしかかからなかった。

入る時と同じようにして外へ出ると、網戸はそのままで、道路の先の闇へ姿を消した。

それきり、二時四十五分に彼が机の前を離れるまで、人の動きはなかった。

ベッドへもぐりこんだあと、彼はふと不審を覚えた。

深夜の客は二人ともなぜ網戸を開けたままにして帰ってしまったのだろう――？

1

七月十六日正午すぎ、被害者の母親黒田敏江が事件を発見し、池上警察署へ電話で報らせた。

「み、光夫が、大変なことに……」

一一〇番ではなく、直接所轄署へ掛けたのは、日頃息子が世話になって、番号を知っていたからと思われた。

署員数人がアパートへかけつけると、二間のうち南側六畳に敷かれた布団の上で、Tシャツと短パンの上からタオルケットをかけた黒田光夫が腹にナイフを刺されて死亡していた。枕元にはビールと酒の空缶や空壜、紙袋などが散らかっていた。

「わたしはここんとこ、たいてい留守にしてたんですが、さっき様子を見に帰ってきたら……」

敏江がうろたえた声で訴えた。

刑事課係長の越智警部補は、今自分たちが入ってきた戸口を目で示した。

「ドアの鍵はどうなってたんです？」

「昨日みたいに暑い晩は、開けっ放しで寝てたんでしょう。いつもそうでしたから」

昔、同じアパートの人が引越す時に置いていった網戸をもらいうけて、玄関に立てかけていたという。

「網戸が半分ほど横にずれてて、わたしはそこから入ったんですが」

捜査員たちもそれに倣《なら》って入室していた。

南側の窓も開いたままで、こちらには一応網戸がはまっていた。

「お母さんは、昨夜《ゆうべ》留守してたわけなんですね？」

「昨夜というか、ここふた月ほど……いえね、この子が出てきてからは毎日喧嘩で、いっそ一人にすれば暮しに困って働く気をおこすんじゃないかと思って、私は池袋のほうの娘の家に厄介になってたんですよ」

「いつ出てきたんだったかな」

「四月十日です。ひと月くらいはいっしょに暮してたんですが、相変らず暴走族の仲間と付合って、毎日パチンコか酒を飲むばっかりでしたからねぇ」

「出所して三カ月か」

越智が呟くと、周囲の捜査員たちも複雑な目を見交わした。黒田光夫が交通刑務所に服役したいきさつは、同じ署内の事犯だけに、みなおよそ知っていたのである。

署長と刑事課長もあとから駆けつけ、続いて本庁捜査一課、鑑識課の一行が嘱託医を伴って到着すると、あたりはにわかに物々しい雰囲気に包まれた。

都内に三人いる警視庁嘱託医の一人である法医学助教授が、まず手を触れ、死体の上半身に掛かっていたタオルケットを取りのけて、検案が開始された。

仰向けになった黒田は、胸も刺された模様で、そのあたりの着衣が破れ、血に染まっている。

中年の嘱託医は、その傷へ近々と目を寄せたり、頭の先から足の先まで、入念に検《あらた》めた。死体を横にすると、胸の中に溜まっていた血が傷口から流れ出した。

「見たところ、胸に一カ所、左腹部に三カ所の刺し傷を受けてますね」

ようやく嘱託医が口を開き、本庁の横川警部は待ちかねたように質問した。

「致命傷はどれです？」

「心臓を一突きにされている。これでほとんど即死だったと思われます」

「すると、犯人は念のため腹も刺したってことですか」

「まあ、そういうふうにも考えられますが」

「あるいは複数犯か……」

被害者の左腹部に突き刺さっているのは、象牙色でプラスチック製の柄のついた細身の果物ナイフのようで、刃の先が五、六センチ腹にくいこんでいるかに見える。犯人が一人とすれば、まず心臓を一突きして致命傷を与えたあと、ダメ押しに腹部を三回刺し、凶器を残したまま逃走したと推測される。

これが複数犯なら、胸と腹を犯人たちが替る替る刺したのか？

横川は室内を見廻して、

「あまり抵抗の跡が認められないようですが、熟睡中を襲われたと見ていいでしょうか」

「そうですね、心臓も腹も、ほとんどストレートに刃物が入ってます。抵抗されればこうはいきませんから」

「死亡は何時頃です？」

「今のところ、死後十二時間以上、二時間の幅を持たせて……」

「今朝の午前一時から三時の間になりますね」

横川は部屋の隅に立ちつくしている母親を振り返った。

「息子さんはふだん何時頃寝《やす》まれてたんですか」

「日によってちがうけど、まあ十一時半か十二時くらい……たいてい酒を飲んで、いったん寝入ったら殴られても起きないくらいでしたよ」

「なるほど。では、これまでに判明した点を確認しますと――」

彼は嘱託医と、周囲の捜査員たちにも徹底するよう、歯切れのいい声を高くした。

「被害者は十六日午前一時から三時の間、この部屋で一人で熟睡中、網戸だけの戸口または窓から侵入した犯人に、心臓を刺されて即死した。犯人はさらに腹部を三回刺し、凶器を残して逃走した。複数犯の場合には、おそらく犯人たちが替る替る被害者を刺したと思われる」

「いずれにせよ、相当に深い怨恨や憎悪を抱いていた者でしょうなぁ」

署長が呟き、署員の何人かは思い当ることのある顔付きで頷《うなず》いた。

と、さきほどからまだどこか釈然としない面持で死体へ視線を注いでいた嘱託医が、それをまた横川に向けた。

「もう一つ、ほかの可能性も考えられるのですよ」

「え？」

「いや、ここではまだ正確にはわからないんですが、心臓を刺した凶器は、腹部に残されたこのナイフとはちがうかもしれません。傷の大きさにかなりの差があるようなので……」

死体はこのあと署へ運ばれ、裸にして、ナイフも抜いた上で、再度くわしい検屍が行われる。その後、大学病院の法医学教室で司法解剖に付される。解剖後でないと断言はできないとことわった上で、彼は続けた。

「見たところ、このナイフは、付け根のいちばん幅の広い部分で約二センチ五ミリ、刃の長さがおそらく十センチから十二センチ、厚さはせいぜい一ミリほどですね。ところが心臓の傷は、その倍くらいの幅で、厚さも六、七ミリはある出刃包丁みたいなもので刺されたように見えるのです」

「するとやはり複数犯ですか」

横川は明快に応じた。

「出刃包丁と果物ナイフを持った犯人たちが、それぞれに胸と腹を刺した。出刃包丁には何か特徴でもあったので、あえて持ち去った。まあ、この近辺に捨ててあるかもしれないが」

「いや……凶器がちがうということのほかに、これも解剖ではっきりすると思うんですが……」

「……？」

「この腹部三カ所の傷は、深さの割に出血が少ないですね。腹腔内に多量に出血していて、外にはあまり出てないということも当然考えられはするんですが……」

「出血が少ないってことは、要するに？」

「もしかしたら死後につけられた傷かもしれません」

「では要するに、一人の犯人が出刃包丁のような凶器で被害者の心臓を刺して即死させ、その直後に、別の犯人がこの果物ナイフで腹を三回刺したということですか」

「必ずしも直後とは決められませんよ。一時間後、あるいは三時間後という場合もありうるわけです」

これはいささか厄介になったといった表情が、ようやく横川警部の顔面をかすめた。

が、周囲にいた署の者たちは、まださほどの難事件とも受け取っていなかった。被害者をめぐる「相当に深い怨恨や憎悪」の背景が、連鎖反応的に脳裡に浮かんでいたからであろう。

2

約三カ月前の四月十日まで、黒田光夫が千葉県市原市にある交通刑務所に服役していたのは、その約一年四カ月前に遡《さかのぼ》る昨年一月十二日に起こしたオートバイによる死亡事故が原因であった。

今年二十二歳になる黒田は、都内の高校を卒業後、あちこちの会社や工場などに勤めたが、どこも長続きせず、ことに事故の前一年ほどは、たまに臨時のアルバイトをする程度でブラブラしていた。

近辺の暴走族グループの一員で、仕事のない日は昼間から四五〇ccのバイクを乗りまわしていた。

昨年一月十二日も、午後六時頃、南馬込の友だちのアパートでビール二缶を飲んだあと、バイクを運転して帰宅途中、池上四丁目の交差点で、横断歩道を渡っていた小学三年生の女の子を撥《は》ね、全身打撲で死亡させた。

黒田は現行犯逮捕され、一審で懲役一年の判決を受けた。スピード違反、酒気帯び運転の上、赤信号を無視した暴走行為で死亡事故を起こしたのだから、実刑は免れなかった。本人は控訴したい意向も示したが、国選弁護人に結果は同じだといい含められ、渋々服役したようだ。仮釈放もなく、満期出所で、この四月十日に自由の身になったばかりだった。

越智警部補は現場からいったん署へ戻り、交通課の佐藤刑事と共に、事故の被害者三吉サツキの遺族を訪れることになった。その家は池上四丁目にあり、事故が起きた交差点から三百メートルほどしか離れていない。サツキは友だちの家からの帰り、わが家の目前で暴走バイクに撥ね殺されたわけだ。

「小学三年で九歳だったんですが、母親似のすごく可愛い女の子でしたねぇ。いや、ぼくも生前の本人には会ってなく、写真を見せられたり、周囲の話を聞いただけですが」

三十五歳の越智より三年後輩の佐藤は、昨年その事件を最初から扱っていた。当時の状況を詳しく憶えていて、遺族たちとも顔見知りなので、事情聴取に付合ってもらった。

「おまけに一人っ子でしたからねぇ。家族は諦めきれないでしょう」

越智にも小学二年と幼稚園の娘がいるので、その心情は察するに余りあると思われた。

「両親はまだ同じところに住んでるわけだね」

「わが子が事故に遇った現場を毎日いやでも通るってのはずいぶん辛いだろうけど、会社の社宅なのでそのままいるのかもしれませんね。奥さんもこのへんの幼稚園に勤めてたし」

サツキの父親三吉範雄は事故当時三十六歳で、勤務先は全国規模の大手食品会社。妻和佳子は三十三、四歳だろうという。

「幼稚園の先生をするような人なら、とりわけわが子を可愛がってもいただろうからなあ」

越智が呟いた時、佐藤が車を道路脇に寄せて停めた。

社宅は五階建てのマンションで、三吉宅はその二階だった。

佐藤がブザーを押し、先刻電話した署の者だとインターフォンに告げた。

白いブラウスに薄茶のスカートの、地味だが清潔な身なりの女性が、ドアを開けて二人を迎えた。

佐藤は面識のある様子で挨拶し、相手も「そのせつはお世話になりました」といって頭をさげた。

座敷へ通され、対座してから、佐藤が刑事課一係長の越智を和佳子に紹介した。彼女は少し訝《いぶか》しむように彼を凝視《みつ》めた。事件はまだ伝えてなかった。

佐藤のほうは、部屋の隅の簞笥《たんす》の上に置かれた小さな仏壇のあたりへ視線を注いでいる。

「前にはあの上にサツキちゃんの写真が掛けてありましたね」

「ええ……でももうしまってしまいました。毎日顔を見てるとかえってつらいものですから」

和佳子は答えて、口許をキュッと引締めた。素直な髪を肩までのばし、ソバカスの散った小麦色の丸顔。穏やかな眸《ひとみ》と、やや受け唇《くち》の形も優しい。とりわけというほどではないが、やはり美人に属するだろう。それも女らしい家庭的なタイプの、と越智は観察した。

「早いもんで、あれからもう一年半以上になるわけですね。ご主人もお変りないですか」

「ええ、まあ」

「それから、サツキちゃんのお祖母ちゃんがおられましたよねぇ。奥さんのほうのお母さんでしたかね」

しばらくは佐藤が会話をリードする。

「あの時にはお祖母ちゃんもほんとに気落ちしておられたけど、今はお元気にしてらっしゃいますか」

「まあなんとか。もうめったにこちらへは来ませんけど」

「ところで、事故の補償問題はその後どうなりましたか」

「どうって、別に……自賠責は一応全額支払われました」

和佳子は俯《うつむ》いて眉根を寄せ、今さらそんなことは話題にしたくもないという気持をありありと浮かべていたが、こちらもやめるわけにはいかない。

「自賠責の強制保険は、二千五百万円、全額保険会社から支払われるのは当然でしょうがね、本人からの損害賠償は？」

「弁護士さんが何回か掛け合ってくれてましたけど、強制保険しか入ってなかったし、無職では支払い能力ゼロですから。母親はスーパーで働いてたみたいですが、とにかく本人に全然誠意がなかったから……」

「じゃあ、それっきりですか」

「お金もらったって、サツキが返ってくるわけでもありません」

「しかし、それではいよいよもって腹に据えかねますよねぇ。だって、刑事上は一年間受刑してきたものの、民事上の賠償義務はほとんど果たしていないことになる。出所後はまたもとのアパートへ舞い戻って、何もなかったような顔で遊び暮していたらしいんだから。少しでも申しわけないという気持があれば、働いていささかの慰謝料でも払おうと考えるはずだ」

「黒田が住んでいたアパートは、ここから歩いて数分の距離ですね」

挨拶のあとではじめて、越智が口を開いた。

「出所後、黒田が改めて謝罪に来るということはなかったですか」

「いいえ」と、和佳子は小さく頭を振った。ますます深く俯き、全身を異様に硬直させているような気配が伝わってくる。

「町で出会ったりしたことは？」

「いえ……」

「出所してたことは知ってらしたんでしょう？」

「それも最近人に聞いたばかりで……」

「では、彼の暮しぶりなどはあんまりわからなかった？」

「全然わかりません」

和佳子は少し声を高くしたので、かえってその声が震えていることが感じられた。

越智は間をおいて、再び問いかけた。

「それでは、今朝の事件も当然まだご存知ないんでしょうね」

「……？」

「実はね、黒田光夫がアパートで殺されたんですよ」

「……」

一秒……二秒……和佳子はやっとそろそろ顔をあげた。眸をいっぱいに見開き、口は半分開けている。いっとき呼吸も忘れたかのように静止していたが、今度はいきなり大きく息を吸いこんだ。

「ほんとですか！」

「今日の昼すぎ、母親が発見したんです」

和佳子はしばらく喘《あえ》ぐように胸を上下させていた。やがて、「ああ」と声を洩らして顔中を歪めた。泣き笑いのようにくしゃくしゃになった頰に、大粒の涙がこぼれ落ちた。

彼女は何かいおうとしたが、唇をわななかせただけで、最後は両手で顔を被って噎《むせ》び泣いた。

なんだかまるで芝居がかった――

和佳子の反応を注意深く見守っていた越智の、それが最初に受けた印象であった。

まったく、あまりにも芝居めいているがゆえに、いちばん正直な態度であったのかもしれない。

そんなふうにも思われてきて、彼はいささか戸惑った視線を佐藤に送った。

3

この事件には、すぐに特別捜査本部は設置せず、本庁の横川警部以下三人が協力して、署を中心に捜査を進めることになった。被害者の身許や背景が最初からかなりの程度把握されており、やはりさほど難しい事件とは考えられなかったのである。

越智と佐藤が三吉和佳子と会っている間に、ほかの捜査員たちが同じ社宅や近隣、また黒田の交友関係などの聞込みに当っていた。それらの結果は、夜八時から開かれた第一回の捜査会議でつぎつぎ報告された。

「三吉夫婦の子煩悩は社宅中で評判だったようです。なにしろ奥さんが一時は不妊症と諦めていたのが、結婚後四年目にできたんだそうで、それがまた顔立ちも性格もとりわけ可愛い子だったんですから」

若い捜査員が勢いこんで話した。マンション式社宅などは、情報収集にはもってこいの環境であった。

三吉範雄と和佳子は、十四年前に恋愛結婚している。和佳子が保育短大の学生だった頃から、都立高校のバレー部のＯＢに当る三吉と付合いがあり、二人は和佳子の卒業と同時に結婚した。

三吉も和佳子も穏やかで家庭的な人柄で、わけても和佳子は大の子供好きだったが、健康そうに見えるのになかなか妊娠しない。三年目に専門医で受診すると、先天的卵管欠損が認められ、妊娠の望みはうすいといわれた。体外授精などもまだめったに行われていなかった頃で、そこまでは踏み切れず、いずれ養子をもらってもいいとさえ口に出していた。ところがその翌年、思いがけず妊娠し、二十四歳でサツキが生まれた、ということである。

会社では平均四、五年に一回の割で転勤があり、サツキが生まれた頃三吉は熊本支店勤務、その後仙台へ移り、現在の社宅へ越してきたのは三年前だった。サツキは区立小学校へ転入し、和佳子は近くの幼稚園の先生に欠員ができると、そこへ勤めるようになった。保育短大卒業と同時に資格は取得していた。

「サツキちゃんが風邪でもひけばお祖母ちゃんが手伝いに来たので、和佳子さんは苦労することもなく、まわりから羨しがられるほど幸せそうだった。それが、あの事故以来一変してしまったと、社宅の主婦たちは口を揃えていってました」

「お祖母ちゃんというのは、和佳子さんの母親ですね」と越智は念のため確認した。

「のべついっしょに暮してたんでしょうか」

「いや、サツキちゃんが病気した時だけ手伝いに来たそうです。孫の相手は苦手だとかいって、治ればすぐ帰っていったという話ですが」

越智は了解した。

結局事故以前の家庭の様子は、彼もおよそ聞き及んでいた通りだった。が、それ以後については――

「事故のあと、三吉よりとくに和佳子のほうがショックが激しく、一時は半狂乱になり、黒田の裁判も傍聴に通っていた。何の落度もない歩行者を撥ね殺しておいて、懲役一年では軽すぎるといってひどく憤慨していたそうです。彼女は黒田の出所後も、時々彼のアパートを覗《のぞ》きに行ったり、暮しぶりを窺っていた節があります。アパートの前の、看板の陰などで、思い詰めたような顔をして佇《たたず》んでいる和佳子を見たという人も何人かいたんです。実際また黒田は、被害者側の神経を逆撫でするような、傍若無人な生活態度でしたからねぇ」

黒田は、事故に対する悔悟や反省どころか、むしろ一年の刑期をつとめたことでもうすっかり罪の償いはすんだとでもいわんばかりだった。二年間免許停止の行政処分を受け、当然まだその期間は終ってなかったのだが、どうやら時々暴走族仲間のバイクを借りて無免許運転をしていた形跡さえあった。

「和佳子は親しい主婦の前で口走ったこともあるそうです。あの男が平然と道を歩いてる姿を見ると気が狂いそうになる。きっとまた同じような事件を起こすに決まってるわ。あんな奴、死刑になればいいのに――」

越智が和佳子から直接聴取した話はすでに報告ずみだったので、そのくいちがいは誰の目にも明らかであった。

彼女の芝居がかったような反応は、やはり演技だったというわけか……？

もしこの事件が昨年の事故の復讐であったならば、夫の三吉より、和佳子のほうが、現段階でははるかに容疑が濃い。というのは、社宅で越智が遠回しながら昨夜のアリバイを彼女に質したさい、彼女は一人で家で寝ていたと答えたのだ。「ご主人は？」と問うと、「昨日から大阪へ出張して、今日帰ってくる予定なんです」といった。

その後別の捜査員が、三吉の勤務先の会社へ赴いた。本人はまだ帰ってなかったが、上司の部長が、確かに出張中であることを認め、さっそく大阪支社へ問合わせの電話を入れた。その結果、三吉は昨日の昼すぎに大阪支社へ着いて以後、単独行動はとっておらず、昨夜は十一時半まで同期の社員三人と飲み、ホテルの前で別れたことが確認された。

いずれ三吉にも直接話を聞かなければならないが、彼のアリバイはほぼまちがいなく成立する見通しであった。

「和佳子とすれば、むしろ夫の留守中を選んだというほうが、ありそうな気がしますね」

刑事課長が意見をのべた。

サツキの死から、およそ一年半になる。その間にも和佳子の悲嘆と怨嗟《えんさ》はうすれることなく、黒田の出所後はその生活パターンなどを注意深く観察し、ついに犯行のチャンスを摑んで復讐を遂げたのであろう。

反対意見は出なかった。一部の者は、これでもうすっかり事件の目処《めど》はついたと安堵しかけたほどである。

「しかしながら、ここでもう一つ厄介な問題があるわけです」

議長役の横川警部が、両肩をのり出し、メモへ目を落としながら持ち前の歯切れのいい早口で話し始めた。

「黒田の遺体は、今日の午後三時から大学病院で解剖されました。その結果、当の助教授が現場でのべていた可能性が事実らしいと判明したのです」

遺体は嘱託医が助教授をつとめる大学の法医学教室へ運ばれ、彼自身が執刀していた。

「つまり、心臓を一突きにした傷と、腹部三カ所の傷とは、別々の凶器によるものだった。心臓は、刃の尖端《せんたん》から約六センチのところで、幅約四センチ五ミリ、厚さ約六ミリ、従って全長はおそらく十センチ以上のかなり大きな出刃包丁のようなもので刺されたと推測される。刃先はまちがいなく心臓まで達しており、この傷により、被害者は十秒以内に死亡したものと断定できる。が、この凶器はまだどこからも見つかっていません」

警部は室内へサッと目を配ってから続けた。

「一方、腹部には果物ナイフが刺さったまま残されており、その刃は七センチ五ミリほどくいこんで、腸管を突き破っていた。付け根のいちばん幅の広いところでも二センチ四ミリ、刃の厚さは一ミリ強という細身の果物ナイフで、そばの二つの傷も同じナイフによることは明らかでした。ナイフに指紋は付着していなかった。さらに、問題はですね、三つの傷には生活反応がまったく認められなかった。この腹部の刺創だけでも被害者を死亡させることは可能だったと思われるが、とにかくこれが死後につけられた傷であることは否定できないのです」

「心臓の致命傷からどれくらいたってから付けられたものでしょうか」との質問が出た。

「心臓停止後の傷は比較的出血が少なく、細胞の生活反応が認められないわけですが、それが心臓停止の十秒後の傷か一時間以上もあとの傷であるかは、解剖によっても区別はできないということです」

「それならば、今度の事件の場合、二人以上の犯人が別々の凶器を持って被害者を襲ったと考えてもいいわけですね。一人が心臓を一突きして即死させたが、それを知らずにほかの者が腹部をメッタ突きした――」

それは警部が最初に現場で想像したケースと同じである。そう考えられれば、事件はむしろ単純かもしれないのだが……。

「いや、ところがね、ここに有力な目撃者が現われた。あのアパートの真向かいに当るテラスハウスに住む高校生なんだが、その証言は十分信頼に足る……」

そこで警部は、実際に聞込みに当った中年の捜査員から直接全員に話すよう促した。

捜査員が立って、目撃者の証言を伝えた。

「あの晩もぼくは自分の部屋で勉強してたんですが、最初は午前一時四十分頃、アパートの網戸をずらして人が入るのが見えました。十分ほどして出てきましたね。つぎは、二時二十五分頃、また別の人影が、半分開いたままの網戸の隙間から中へ入って行きました。今度は五分ほどで出て行ったと思います。その時は気にも止めなかったんですが、あとになって、ちょっと不審に感じたことを憶えています。だって、二人とも、中にいる人を訪ねてきたのなら、帰る時に網戸をまた元通りに戻しておくのがふつうじゃないですか。それが二人とも、半分開けっ放しのまま帰ってしまったんですから」

四十五分の間隔をおいて出入りした二つの人影について、捜査員は当然くわしく尋ねた。が、彼の部屋はクーラーをかけて窓を閉め、レースのカーテンを降ろしていたし、窓からアパートの戸口まで十数メートルの距離があった。戸口は暗い上、二階の窓から見下ろす角度だったなどの悪条件が重なって、人影の性別、特徴などはほとんどわからないと首をひねった。

「最初の人はシャツとズボンといった身なりだったような気がします。髪ですか？　さあ、とくに長くはなかったと思いますけど。あとのほうは、野球帽か何かをかぶって、ブルゾンみたいなのを羽織ってたのかなあ……」

だが、この証言によって、当夜二人の人間が別々にアパートへ侵入し、それぞれが黒田を刺して逃げたという公算が強くなってきたのである。

一時四十分に来た者が、就寝中の黒田の心臓を出刃包丁で一突きし、即死させたのち、凶器は持ち去った。四十五分後の二時二十五分に現われた者は、黒田がすでに死亡していることには気付かず、腹部をメッタ突きにして、ナイフを残して逃げ去った。アパートの部屋は、窓の網戸越しに遠くの外灯の光がわずかに流れこむ程度で、かなり暗かった。心臓の凶器は抜き去られ、胸にはタオルケットが掛けてあった。忍びこんだ者も冷静な心理状態ではないから、相手がすでに刺殺されているのに気付かず、タオルケットから出ていた腹部へさらにナイフを突き立てることも十分ありえたと想像される……。

「三吉和佳子は長めの髪でしたね」

「でも、まとめあげれば、遠目にはショートのシルエットになるでしょう」

「その上帽子をかぶればまったくわからない」

「二人のうち一人は和佳子ではないですか」

その観測に抵抗は少なかった。

「ではもう一人は……？」

「今のところ三吉のアリバイは不動という公算が強い」

「夫婦が偶然別々にやったというのも不自然だしなあ」

「どうやらこの事件《やま》には、もう一つほかの動機が絡んでいたのではないかと考えられる」

横川が結論を下す口調でいった。

「一年半前の事故だけに目を奪われてはならない。第二の動機関係を早急に洗い出す必要があります」

4

事件の翌日には、黒田光夫の交友関係と出所後の行動が、さらに調べられた。

黒田は住所地を中心とする一帯の暴走族グループの仲間だった。が、それは比較的小規模なもので、結束もそう強くはなく、ほかのグループと敵対していたということはなさそうだった。

黒田は定職につかず、ささいな喧嘩で人を殴ったり、いわゆる「不良」の部類に入るかもしれない。とはいえ、暴力団に属していたわけではなく、どこかの組員と付合っていた彼らの抗争に巻きこまれていたというような形跡も見出せなかった。

従って、彼に殺意を抱くほどの動機関係が、さほど多岐にわたっていたとも考えられない。

彼の素行に手を焼いていた身内の犯行ではないかとの見方も生まれたが、母親や姉夫婦にはいずれもアリバイが認められた。

しかし、まもなく、「第二の動機」とおぼしきものを、捜査側の情報網がキャッチした。

それは事件前日の出来事であった。

黒田は、アパートから約一キロ離れた池上通り商店街にあるパチンコ屋へ通うのを日課にしていたが、七月十五日午後四時頃にも、景品のプラスチック・パッケージを何本か両手に抱えて店を出た。店からほんの五十メートルほどにある景品引換所へ持っていって、現金化するわけである。

ところが、パチンコ屋の前を二、三歩歩き出した時、黒田は横から来た男と激しくぶつかって危うく転びかけ、手にしていた景品を歩道の上にばらまいてしまった。それに対して、相手の中年男は、謝罪するふうもなく、むしろ黒田を非難する言辞を吐いて行きすぎようとした。

体勢を立て直した黒田が、後ろから男の肩を摑んで引き戻した。怒鳴りあいのあと、あわや黒田が男に殴りかかるかと見えたが、周囲の目を意識してか思い留まり、代りに力いっぱい男を突きとばした。今度は男がよろめいて、近くに駐めてあった自転車といっしょに仰向けに倒れた。

眼鏡がとび、どこか打ったらしく、立ち上るまでに暇がかかった。その間に黒田は、散乱した景品を拾いあげ、最後にまた何か捨《す》て科白《ぜりふ》のようなことばを投げて歩み去った――。

喧嘩を見ていたパチンコ屋の店員や常連客など三、四人から、捜査員が聞き及んだ話である。

「二人がぶつかった瞬間を見た人はいないので、そもそもどちらが悪かったのかはよくわからないそうです。しかしですね、通りかかった男は四十代なかばくらい、身長百七十センチ前後の、どっちかといえば痩《や》せ型、一方の黒田は百七十六センチの屈強な体格で、齢もまだ二十二だったんですから、いざとなったら男には勝ち目がない。それを、謝るどころか怒鳴りあうなんて、その男もよほど癇癪《かんしゃく》持ちだったのかもしれません」

「やっぱりやくざとか遊び人風の？」

横川が尋ねる。

「いや、そんな感じでもなく、グレーの夏背広にきちんとネクタイを締めていたそうです。パチンコ屋の四、五軒隣りにある眼鏡店から出てきたみたいで、黒田が立ち去ったあとは、一人で反対方向へ歩いていったということです」

まるでこの続きのような話が、別の聞込みからもたらされた。

それは黒田と同じアパートに住む主婦が喋《しゃべ》ったのだが、事件直後の最初の聞込みでは口をつぐんでいた。彼女は長男がサツキと小学校の同級だったそうで、三吉家に同情し、黒田を憎んでいたから、事件の捜査にはいっさい協力しない決心をしていた。が、再度の聞込みの様子では、このままだと和佳子に容疑が集中しそうで心配になり、自分が目撃したことを打ちあけたという。

「四時二十分頃、彼女が買い物から帰ってくる道すがら、先のほうを黒田が歩いていたが、まるでそのあとを尾《つ》けるように、白っぽい小型車がゆっくりと走っていた。黒田がアパートへ入りかけたところで、急にその車が追いついて、彼のすぐ脇で停った。運転席の男が窓から顔を出して、二言三言いったかと思うと、すごい口論が始まったというんですねぇ」

主婦がそばまで行って、後ろから見守るうち、運転席から中年の男が降り立った。たちまち摑み合いになったが、体格も腕力も黒田が上で、男は顔や腹をしたたか殴られ、鼻血を出して蹲《うずくま》ってしまった。それで黒田は満足したのか、車のボンネットを靴先で蹴って、アパートへ入っていった。主婦が思わず男に歩み寄ると、彼は血だらけの顔をあげて、黒田の消えた先を睨んでいた。「憶えてろ」と男が妙にきっぱりと呟くのを彼女は聞いた……。

「彼女にはそもそもの喧嘩の原因はわからなかったが、とにかく車から出た男が黒田に『どこ向いて歩いてたんだ。まっすぐ前が見られないのか』と嘲笑《あざわら》うようにいった時、これは危いと直感したそうです。というのが、黒田はかなりひどい斜視で、またそのことに異常なほどコンプレックスを抱いていた。子供の頃から、ガチャ目などと揶揄《からか》われようものなら、逆上して相手に怪我をさせたことも一再ではなかったらしいと……」

そのことは、最初の事情聴取で母親からも聞いていた。

「だけど相手もまた相当に執念深そうな男だったと、彼女は呆れてました。黒田がアパートへ入ってしまうと、仕方なく自分も眼鏡を拾って運転席へ戻ったが、車でアパートの周囲を二、三回廻り、黒田の部屋の前で停っては、網戸越しに家の中をしばらく覗きこんでいたというんですねぇ」

同じ車かどうかは確認できないが、同日夜十一時頃、ふだん見かけない白っぽい車がアパートの向かいにあるテラスハウスの外壁に寄せて路上駐車していたのを見たという証言も、近所の人から得られた。

黒田の二回の喧嘩の相手が同一人らしいことは、男の年配、服装その他からも明らかであった。

男はパチンコ屋の前で黒田とぶつかる前、近くの眼鏡店から出てきたみたいだという人の話で、捜査員がその店に当ってみた。すると、彼はそこでサングラスを買っていったと、店主が話した。

「はじめてのお客さんでした。日射しが急に眩《まぶ》しくなったと思いながら歩いていた矢先、ウインドウの中の洒落《しゃれ》たフレームが目に入り、さっそく作ることにしたと。その方は近視と乱視の混った眼鏡をかけておられたので、サングラスのレンズにも同じ度を入れなければならないわけです。それには一週間ほどかかりますから、出来上ったら発送するという約束で……」

男は伝票に住所氏名を記入して、クレジットカードで八万六千円の支払いをして店を出ていった。

「口数が少なくて、ちょっと気難しそうな感じもしましたが、まさかそんなに荒っぽい人とは思えませんでしたがねぇ」

男が店を出たあとの出来事には気付かなかったという主人は、吃驚《びっくり》したように目を見張った。

が、捜査側にとっては意外なほどの幸運で、男の身許が割れたのである。

伝票に残されていた氏名住所は、〈重倉　覚・中野区上高田二丁目×番〉

電話番号も記入してあった。

署からその番号へ電話を掛けたのは午後四時頃だったが、それには男の声で留守番テープが答えた。

「お急ぎの方は、重倉設計事務所へお電話ください。番号は——」

電話帳で調べると、そこの住所は新宿区大久保一丁目とある。

越智と若手の橋爪刑事が直接出向くことになった。

山手線新大久保駅から徒歩で約十分、西大久保公園近くのオフィスと住宅の混りあった中に、五階建てレンガ造りの瀟洒《しょうしゃ》なビルがあった。

三階の〈重倉設計事務所〉と扉のガラスに書かれた部屋のチャイムを鳴らす。

ドアが開いて、涼しげなグレーのベストとスカート姿の若い女性が衝立《ついたて》の陰から姿を見せた。

越智は自分の身分を告げ、

「重倉覚さんという方がこちらにおられますか」

「はい、所長ですが」

「今いらっしゃいますか」

「はい」

会いたいというと、彼女は多少緊張した面持でひっこんだ。

衝立の向うでは、電話が鳴ったり、活気のある話し声がとびかっている。

やがて同じ女性が戻ってきて、ドアの横の応接室へ二人を請《しよう》じた。

入れちがいに、ベージュ色のオープンシャツを着た中年の男性が姿を見せた。名乗られるまでもなく、その男が重倉覚であることは一目でわかった。彼の右目の横には大きなガーゼが当てがわれ、その上からメタルフレームの眼鏡をかけている。左頬から顎にかけても青黒い腫れが残り、唇の端には裂傷の跡が認められた。

越智が警察手帳を示すと、相手はあまり口を開けないようにして「重倉です」と名乗った。

越智は単刀直入に、一昨日の喧嘩について尋ねた。彼はなぜわざわざそんなことを訊きに来たのかというような、怪訝《けげん》な目色を浮かべたが、質問には抵抗なく答えた。

「ぼくが眼鏡屋を出て、車を駐めた駐車場のほうへ歩いていたら、横あいからいきなりあの男がとび出してきたんですよ。自分からぶつかっておきながら、『気を付けろ』などといったので、『そっちこそまっすぐ見て歩け』といい返して行きすぎようとした。すると後ろから摑みかかってきた……」

突きとばされて自転車ごと倒れた。

駐車場から車を出し、走り始めてまもなく、さっきの男がすぐ先を歩いているのが目に入った。

尾けるともなく尾けていくと、古ぼけたアパートへ入る様子だ。咄嗟《とっさ》に追いついて車を停めた。

「その時の気持を正直に申せば、あんな貧しいアパートに住む、どうせろくな働きもしていない人間に乱暴されて、我慢できないといったプライドが頭をもたげたんじゃないかと思います。日頃はめったにカッとなるようなことはないんですがね。それと、こう見えても高校では剣道初段まで取ったもんですから」

が、その結果は、目撃者の主婦がのべた通りだった。

「少しくらい剣道の心得があっても、素手では何の役にも立たないもんですねぇ。昨日はつくづくそれを思い知らされました。知合いの外科医院へ直行して、手当てをしてもらったんですが、昨夜あたりからこっちの耳が痛むので、耳鼻科へ行こうかと思っていたところなんです」

彼はガーゼを当ててある側の耳に手をやって顔をしかめた。

「かなりの被害ですね。傷害罪で訴えようとは考えなかったですか」

「いやあ、自分の恥を世間に晒《さら》すようなもんですからね」

彼はまたあまり口を開けずに、はじめて苦笑した。よく見れば眸には親しみの持てる光がこもっていた。

「あちらへは仕事で行かれたわけですか」

「池上通りのもう少し西のほうに、ハウジングメーカーのモデルハウス展示場がつくられてましてね。そこの住宅は今業界で評判になってるものですから、見ておきたいと思って出かけたんです」

正確な位置を聞くと、例のパチンコ屋より五百メートル余り離れているようだ。

「展示場のパーキングエリアは狭くていっぱいでしたし、ほかに場所がなかったので、やむをえずあの近くの駐車場に駐めたんですよ」

「展示場から戻ってきての出来事だったんですね」

「そういうことです」

重倉は腕時計にチラリと目を落として、

「で、ぼくにはどういうご用件で？」と促した。

少し間をおいてから、橋爪が口をひらいた。

「一昨日の相手の氏名をご存知ですか」

「いや」

「では、新聞やテレビのニュースでも気が付かれなかったわけですか」

「……………」

「黒田光夫という二十二歳の男なんですが、昨日の昼すぎ、自宅アパートで刺殺されているのが発見されました。死亡は十六日午前一時から三時の間と見られています」

重倉は、口笛でも吹くような形に唇をすぼめた。やがて、溜めていた息をゆっくり吐きながら「ほう」といった。

「それで、一昨日の一件をくわしくお聞きしたしだいなんですが、重倉さんはその後またあのへんへ行かれたりはしなかったですか」

「どうしてですか。行ったってまた殴られるのがおちでしょう」

彼は不機嫌にいい返した。

「実は十五日夜、あなたの車に似た白い小型車が近くに駐っていたという証言もあるのですが」

「冗談じゃない、白い小型車なんて、都内には何十万台とありますよ」

「失礼ですが、一昨夜はどこかへお出掛けになりましたか」

「アリバイですか」

重倉はムッとしたように横を向いて答えた。

「家で寝てましたよ」

「中野のマンションですね」

「そう」

「ご家族は？」

「家内と二人。もっとも家内のほうが帰りは遅かったようだが、あいつも午前一時までには戻ってたでしょう」

「奥さんも何かお仕事を？」

「ファッション・コーディネーターとかいって、アパレルメーカーに勤めてますが」

「お子さんは？」

「ありません。どっちみち、家族の証言ではアリバイにならないんでしょう？」

「それはまあ、情況にもよりますが」

「情況？　大体どうしてぼくがあんなレベルの男を……馬鹿馬鹿しい！……用事はそれだけですか」

「……」

「じゃあ、ぼくは仕事がありますので」

彼は掌でテーブルを強く叩いて席を立った。ドアを開け放して出ていくなり、部下を怒鳴りつけるような声が聞こえた。

「なるほど、めったにカッとならない人だ」

橋爪が呟いた。

5

これで二人の容疑者がきれいに出揃ったという恰好であった。

三吉和佳子は、愛児を轢き殺された怨みを一年半抱き続け、慎重に機会を窺った末に復讐を果したと考えられる。夫の三吉は当夜大阪にいて、アリバイが確認されていた。

一方、重倉覚のほうは、前日、突発的に生まれた動機である。従って、黒田の暮しぶりなどを調べる暇はなかっただろう。が、昼間の出来事を腹に据えかね、夜中にもう一回押しかけて中を覗くと、相手は戸口に網戸を立てただけで熟睡している様子だ。そのまま忍びこんで一気に犯行に及んだ、と想像することができる。

重倉は四十三歳で、十人余りの従業員を使う設計事務所を経営していた。家庭は妻房子四十一歳との二人暮しで、彼女はアパレルメーカーのファッションオフィスに勤めていた。事件当夜は午前零時頃帰宅して、バスを使って一時頃ベッドへ入ったと、訪れた捜査員に答えている。

「主人は先に帰って寝《やす》んでいたと思います。その後外出したような気配もありませんでした」

微妙なニュアンスに不審を覚えた捜査員が突っこんで訊いたところ、二人の寝室は別々らしいとわかった。夫婦仲は冷えているのかもしれない。

そんなわけで、重倉のアリバイも決して満足なものではなかった。

もっとも、動機の面では疑問を呈する者もいた。れっきとした設計事務所の所長が、あの程度の喧嘩を根に持って殺人を犯すだろうか？

彼の性格については、妻と、日頃仕事で接触の多い数人などから聴取したが、とくに短気だとか喧嘩早いというような話も出ていない。

しかしながら、人間には日常生活では表に顕《あら》われにくい意外な側面もあるもので、それまでに経験もしなかった暴力的な屈辱を受けて理性を失い、直情径行的な犯行に走ることも十分考えられるとの意見も強かった。

現に、この事件では二人の「犯人」が存在したと推定されているのだ。和佳子も重倉も状況証拠は濃厚といえた。

だが、何一つ物的証拠がない。黒田の心臓を刺した凶器は依然発見されないし、腹部に残された果物ナイフの出所も特定できないままだった。

事件から五日目、署では和佳子と重倉に任意出頭を求め、別個に長時間の事情聴取を行った。

和佳子には老練な部長刑事が当り、最愛のわが子を無残に撥ね殺された悲嘆や、しかも黒田には反省や償いの意思などいささかも認められず、その無念さは察するに余りあると、諭すように話しかけた。

「わたしでさえ、あんなやつはいっそぶち殺してしまえばいいと、何度思ったかわからないですよ」

実際それは、多かれ少なかれ、署員たちに共通した心情なのである。

刑事はみんなの偽りない同情をわからせ、それにほだされた和佳子をやんわりと自供に追いこむ心算《つもり》だった。二人のうち一方が落ちれば、残りの行動はおのずと明らかになるわけだ。

ところが、和佳子は意外に頑強であった。刑事のことばには涙を流すが、犯行は自分ではないといい張った。あの晩はずっと家にいて、黒田のアパートへは近付いていない。もともと彼の暮しぶりを穿鑿《せんさく》したような覚えもない。人がそんな目で見るから誤解されただけで、むしろ自分は黒田の存在など意識からしめ出してしまおうと努力していた。

「どんなに憎んだって、たとえ殺したって、サツキが返ってくるわけじゃないんですもの。そうでしょう?」

濡れた目で反問されると、逆に刑事がことばに詰った。

重倉はといえば、疑われるだけでも馬鹿馬鹿しいという態度を変えなかった。

「どうしてぼくがわざわざあいつを殺しに行かなきゃならないんですか。それはまあ、一時は思わず我を忘れて、お恥かしい失態を演じてしまいましたが、だけどねえ、まさかあんな男のために自分の一生を棒に振るほど、そこまで愚かではないつもりですよ」

聴取の時間が長びくと、仕事があるといって苛立《いらだ》ち、強引に帰りかける始末だ。

調べる側も歯痒《はがゆ》い限りだが、実際この事件はあまりにも物証に欠けていた。状況証拠が濃いとはいっても、当夜彼らが現場へ近付いたことを示唆するような目撃証言一つないのだから、声を荒らげて詰め寄るわけにもいかなかった。

二日続けて二人を喚《よ》び、むなしく帰したあとでは、捜査側は厚い壁に突き当っていることを悟らされた。

もちろん容疑者の自供がなくても逮捕状を執行し、否認のまま起訴する場合も決して珍しくない。

だが、今回のケースの難しいところは、二人の容疑者のうち、どちらが先に手を下したか、それを特定しないことには、容疑の罪名も決められないという点にあった。

二人とも否認し、物証もないのでは、特定はとても覚束《おぼつか》ない。

事件からちょうど一週間たった七月二十三日、横川警部は過去の事件で何回か面識のあった方面主任検事と会うために東京地検を訪れた。

東京都区内は八方面に区分され、池上は二方面に属するので、そこの担当の主任に、くわしい状況を話して相談した。

検事も腕を組んだ。

「これが傷害事件ならば、刑法二〇七条が適用されるところだろうが……」

「ああ、同時傷害の特別共犯ですね」

二人以上の者が同じ相手に暴行を加えて、誰がどの傷を与えたのかわからないという場合、加害者たちに繋《つな》がりがなく、共犯でなくても、共犯と同じに扱うという、非常に例外的な規定であった。

「しかしそれは、あくまで傷害のみで、殺人にまで類推的に適用されることはないんだ。だから今の話の二人の容疑者が殺人の共犯になることはありえないね」

「たとえば二人とも殺人未遂ということは？」

「うーむ、二人の殺害行為がほとんど相前後して行われ、どちらの傷にも生活反応が認められるというようなケースであれば、誰が最終的に被害者を死亡させたのか不明でも、両人共に少なくとも殺人未遂が適用されるだろう。暴力団の抗争事件で、似たような判例があったと思うよ。しかしねぇ……」

「……」

「今回では、心臓の刺創は十秒以内に被害者を即死させた傷と認定される。一方、腹部の傷には生活反応がない。となれば、腹を刺した者は死体を刺していたわけで、それなら当然不能犯が成立してしまう」

横川が恐れていたのもその可能性であった。

学説と判例によれば、犯罪行為がなされても、結果が発生せず、もともと結果発生の危険性もなかったと認められれば、「不能犯」とされて罪に問われない。

過去の裁判では、客体の不存在、手段の不適切などが具体的事例になっているが、客体の不存在とは、まさに死体を刺したり轢いたりした場合である。交通事犯でも、先に轢き殺されて倒れていた人を、あとから来た車が轢いて逃げても、それは不能犯で無罪になる。

手段の不適切というのは、例えば毒性のないものを毒と信じて人に飲ませたとか、藁《わら》人形に釘を打つような行為を指していた。

「だから、二人のうちどちらが先に、心臓を刺したか、これが特定できれば、その者が殺人犯であり、あとの者は不能犯としていいわけなんだが……」

「それが特定できないんで苦労してるわけですよ」

「どうしても証明できなければ、二人とも殺人については不能犯とせざるをえないという恐れもあるが……それにしても、まったくの無罪では引きさがれないな」

「……」

「少なくとも、二人とも死体損壊の故意犯で起訴することはできるかもしれない」

「死体損壊？　三年以下の懲役ですか……」

横川は失望を隠せなかった。みすみす二人とも殺意を抱いて黒田を襲い、あきらかにどちらかが致命傷を与えた疑いは濃厚であるのに、そのどちらかがわからないばかりに、二人とも殺人は不能犯となり、死体損壊という軽い罪にしか問えないとは……。

いや、両者があくまで否認し、黒田のアパートには近付かなかったと主張し続ければ、死体損壊の立証さえ、楽観を許さないことになる。

「でもねえ、こんな事例はきわめてレアケースだよ。根気よく調べを続ければ、必ず犯行の前後が特定されてくるんじゃないですか」

検事は、念のためほかの検事たちの意見を徴し、参考書や判例も調べておくと約束した。

この話が署内に伝わると、捜査員たちの士気が目に見えて低下したように感じられた。捜査陣は本庁から三人が応援に来ているだけで、あとは池上署の刑事課で構成されている。彼らは一年半前の無残な事故と、黒田の不届きな態度も記憶しており、被害者側に強い同情を寄せていた。従って最初から、この事件の捜査には必ずしも意欲的だったとはいえない。それどころか、黒田など殺されてもともとなのだと、内心でうそぶいている者さえいるかもしれなかった。

そこへもってきて、強引に逮捕しても容疑が「死体損壊」では、いよいよやる気を失《な》くしたのだ。

「考えてみれば、ずいぶん皮肉な偶然が発生したものですねぇ」

沈滞しがちな会議の席で、係長の越智警部補がどこか承服できないといった声でいった。

「一年半前から怨みを抱いていた女と、突然前日に動機が発生した男が、約四十五分の差で同じアパートへ侵入し、同じ相手を刺殺しようとした。その結果、どちらが先にやったか、外部からでは立証できない状況ができあがってしまった。ほんとにこの通りであれば、実に稀なる偶然が加害者たちに味方したといわなければなりませんね」

きわめてレアケースだと検事もいっていたと、横川は思い返した。

まったく、何万分の一の偶然が起きたものであろうか。加害者たちには天の助け、反対に捜査側にとっては不運きわまる偶然が……。

いや……単なる偶然で片づけられることなのか？

横川がふと思った時、再び越智が発言した。

「ただし、ぼくにはちょっとひっかかることがあるんですが」

「………」

「ぼくらが訪ねていって、黒田が殺されたことを知らせた直後の、和佳子と、重倉の反応が、どこか共通していたような気がしてならないんです。どちらも妙に芝居じみてたみたいな。和佳子は目をむいて息をのみ、口もきけない様子で噎《むせ》び泣いた。一方重倉は、前夜の行動を尋ねられたとたん、急に怒り出した。めったにカッとなったりしないといった舌の根が乾かぬうちに、むしろわざとその言に反した性格を見せつけるかのように憤慨してみせた。どちらもぼくにはなんとなく作為的に感じられたんです。もっと大胆に推論すれば、二人とも、警察が来たらこういう演技をしようと待ち構えていて、あまり勢いこんでやりすぎたために、芝居じみたところを露呈してしまったとでもいうような……」

「芝居だったとすれば……つまり、今度の事態は偶然ではなかったということになりますか」

素朴な口調で質問する者がいる。

「たぶん、そうなるわけだろうな」

隣りの者が呟いた。

「じゃあ、偶然ではなかったとすれば……？」

「偶然でなければ、必然的に仕組まれていたことなんだ」

横川が畳みかけた。

「そうだ、二人が共謀して、計画的にこのような状況を作り出したとしたらどうか。どちらが先にやったのかわからなくして、二人とも殺人は不能犯、起訴されてもせいぜい死体損壊の軽罪という、巧緻な計算に基づいた共同謀議を――」

「しかし、二人にそんな謀議をする暇があったでしょうか」

今度は鋭い反論が上った。

「黒田と重倉の喧嘩は、事件前日の午後四時頃だったんですよ。その時点から、そんな複雑な共犯関係が成立しうるものかどうか」

「いや、そうじゃないんだ」

反論された瞬間に、横川が気付いたことだった。

「重倉の動機は、意図的につくられたものだった。彼はわざと黒田にぶつかって喧嘩を仕掛けた。斜視のコンプレックスを刺激し、逆上させて自分を殴らせた。そうやって、一見和佳子とは無関係な動機を拵《こしら》えたわけだが、共犯の謀議はそれ以前にできあがっていたのではないだろうか?」

6

巧緻な共犯関係が事件のずっと以前から作られていたとすれば、和佳子と重倉は当然親密な間柄であったことになる。今までのところ、二人が知合いだったという証拠はまったく浮かんでいないが、今後は両者の隠された接点を洗い出す作業に焦点が絞られた。

周辺の綿密な聞込みが再開された。

和佳子が重倉らしき男と連絡をとっていた気配はないか?

重倉が和佳子とおぼしき女と密会した形跡はないか?

和佳子の夫、三吉範雄を越智たちが会社へ訪ね、再度話を聞いた。が、およそ予期した通り、重倉のような男の存在を妻の周囲に感じたことはないと、言下に否定された。

「ぼくらは十四年前に結婚して、まもなく熊本支店へ転勤になったんです。和佳子は、一時は不妊症と診断されて諦めていたんですが、幸い結婚後四年目にサツキが生まれて、それからは育児に熱中していました。翌年には仙台支店に変り、そちらに六年いて、三年前に東京へ戻ってきました。サツキが小学二年になって、ようやく少し手が離れたので、昔からの念願だった、幼稚園に勤めることにしたんです。そうなればまた家事との両方で忙しく、とてもそれ以外のことまでしている暇はなかったでしょう」

柔和な印象の三吉は、越智たちの思惑を読み取ったように、静かだが毅然《きぜん》とした態度で押し返した。

「奥さんのご実家は東京ですか」

「実家といっても、母親が一人いるだけですが」

「サツキちゃんのお祖母ちゃんに当る方ですね。時々お孫さんの面倒をみに来られていたとか」

「たまにサツキが病気したりすれば、手を借りていたようです」

和佳子の母親は長沢緑といって、今年五十四歳になるという。

「和佳子が中学生の頃、父親が亡くなって、その後は女手一つで和佳子を育てたそうです。今も勤めを続けているみたいですね」

緑の話になると、三吉の口調は多少重苦しくなった。めったに来なくても、母一人子一人という妻の母親は、夫にはうっとうしい存在であるかもしれない。

同時に、そんな母親なら、娘の、夫には秘密の部分も嗅《か》ぎ取っていたのではないか？

越智は緑の住所を尋ねた。

「さあ……マンションの場所なら大体わかるんですが」

それでいいと、略図を書かせた。和佳子に訊けば住所も電話番号もすぐわかるわけだが、すると和佳子が先回りして、何かと口止めする恐れがある。

マンションは東横線中目黒駅から歩いて十分ほどの、便利な住宅街にあるようだ。十年ほど前、中古マンションをローンで買ったらしかった。

夕方六時半頃、越智たちは八階建てクリーム色の思いのほかシックな建物の前に着いた。

教えられた四階四〇八号室がまだ留守とわかると、越智はロビーで、連れの橋爪は四階のエレベーターホールで待つことにした。

七時半を廻る頃から、勤め帰りらしい住人が、心なしか疲れた足どりでロビーへ入ってくる姿がつぎつぎ見られるようになった。

九時少しすぎ、辛子色のスーツを着て、大きめのバッグを腕にかけた女性がまた一人、エレベーターへ歩み寄った。越智は反対側に立って背を向けていたので、振り返った時には女の後ろ姿しか見えなかった。

一目でちがうだろうと判断した。

が、女の乗ったエレベーターが上り始めて、ランプを見守るうち、それは四階で停った。

越智は念のため、空で下ってきたエレベーターで自分も四階へ上った。降りたところで、廊下を引き返してきた橋爪とぶつかった。

「今しがた、黄色っぽいスーツの女が上ってきただろう?」

「ええ、その女が四〇八号室へ入りました」

「なに……ずいぶん若そうだったが」

「ぼくも顔は見えなかったんですが」

彼もエレベーターが上ってくると、ホールの窓から外を眺めるふりをして、出てきたのが女なので後を尾け、入る部屋を見届けていた。

「でもとにかくその女が、バッグから出した鍵で四〇八号室のドアを開けて入ったんですから」

二人はその部屋の前に戻った。ドアの横に〈長沢緑〉のネームプレートが出ていることは、最初に確認した通りだ。

橋爪がチャイムを鳴らした。

低いが張りのある女の声で「はい」と返事があり、「どちらさまでしょうか」とインターフォンで尋ねた。

橋爪が身分を名乗った。

ロックが外され、ドアが内側に開くと、辛子色の麻のスーツを着たさっきの女が立っていた。上衣のボタンを外しただけでまだ着替えてなかったようだが、それでスーツの下の白にシルバーの模様のTシャツが覗き、メタルのイヤリングとマッチしていっそう若々しいムードになっていた。

だが、その女が和佳子の母親であることは、一目瞭然といってよかった。くっきりした眉、大きな円い眸、軽い受け唇など、どこを見ても和佳子の特徴がそのままそこにあった。

「長沢緑さんでしょうか」と、一応橋爪が確かめた。

「そうです」

黒田が殺された事件の参考に話を訊きにきたと、用件を告げると、緑は彼らをリビングへ通した。

すわり心地のいいソファで、二人は緑と対座した。

越智が口を切って、最初に思わずいった。

「失礼ですが、和佳子さんはずいぶんお若い頃のお子さんなんですね」

「私がちょうど二十歳の時に産みました。あの子ももう三十四になりますが」

「その和佳子さんが二十四歳でサツキちゃんを産んで……」

「ええ。ですから私は四十四でお祖母ちゃんになったわけですわ」

緑はどこか悪戯《いたずら》っぽく微笑した。

面と向かってみれば、緑の顔には齢相応の皺《しわ》やシミも認められた。が、身長百六十センチほどの引締った身体つき、顔立ちは愛敬のある童顔で、たぶんそれに服装のセンスや知的な喋り方などがミックスされて、都会のキャリアウーマンといった印象をつくり出していた。

なるほど、この「お祖母ちゃん」では、孫の相手は苦手だといいそうだ。越智は以前、和佳子の社宅の聞込みをした捜査員の報告を思い浮かべた。

「長沢さんはまだお勤めされてるそうですね」

「はい、青山の画廊に。そちらも今年で二十年になるんですが」

サラリーマンの夫に先立たれたあと、青山のビルの中にあった喫茶店で働き始めた。何年かするうち、ビルのオーナーでもあった喫茶店の経営者が、同じビル内に画廊を開くことになり、緑はそちらへ移された。それまでにも、店の中に掛ける絵や、インテリアのことでは、オーナーの相談相手になっていたので、いわば引き抜かれたような形だった――と、緑は人慣れた感じで話した。

「私は美術の専門学校もなにも出てないんですけど、ただ、絵を観るのがとても好きでしたから、よろこんで働かせてもらって、いつのまにか二十年になってしまいました」

「なるほど……」

目の先の壁に掛けてある版画から視線を戻して、越智はいきなり尋ねた。

「つかぬことを伺いますが、和佳子さんの知合いで、重倉覚という男性にお会いになったことはありませんか」

両者が知合いであることは既定の事実のような口吻《くちぶり》で、相手の反応を試すつもりだった。素朴な「お祖母ちゃん」の対応に手掛りを期待してきたのだが。

緑は軽く瞬きして首を傾《かし》げた。

怪訝、というほかには、とくべつの感情は読みとれなかった。

「四十三歳の一級建築士。新大久保で設計事務所を開いています」

黒田の遺体には二種類の傷があったこと、二人の有力容疑者が挙っていることなどは、報道関係者にはいっさい伏せてあった。だから、もし緑がある程度でも事情を察知していたら、捜査がそこまで伸びているのかと動揺するはずなのだが——？

しかし彼女は、

「いえ、私はお会いしたことありませんけど」と、ほとんど無表情に戻って頭を振った。

「サツキちゃんがいらした頃は、よくお世話をなさってたそうですね」

彼は仕方なく、漫然と話題を変えた。

「世話というほどではありません。たまに顔を見に行っただけで」

緑はさすがに寂しそうに、俯いて手の甲を撫でた。

「和佳子さんはお産の時も、実家へ帰ってされたとか聞きましたが」

「ええ、あの時は範雄さんが熊本支店におりましたからねぇ。不慣れな土地では私も心配なので、早めに和佳子を東京に帰らせて、私のそばでお産させました」

「つまりこのマンションへ帰って？」

「いえ、ここへ移る前、世田谷のほうにいた頃ですけど」

「和佳子さんは産後また熊本へ？」

「もちろんです」

「翌年の八二年から六年間は仙台で暮したわけですね」

「そうなりますわね」

一方の重倉は、東京の大学を出たあと、都内の大手の設計事務所に就職したが、確か八一年から三年間、アメリカへ留学している。八四年に帰国してまもなく、独立して現在の設計事務所を開いたようだ。

重倉の身辺調査は別のグループが行っていたが、越智がこれまで聞いた範囲では、地方を転々としていた和佳子と、東京以外は外国暮しの重倉との接点を見つけるのは、どうも望み薄のような気がし始めた。

「和佳子さんが熊本や仙台に住んでおられた間も、あなたは何回か訪ねて行かれたんでしょう？」

黙りこんだ越智の代りに、橋爪がくいさがって質問した。

「ええ、まあ、それぞれ二、三回は」

「必ずしも東京でなく、地方暮しの頃でも、和佳子さんの口から重倉という名前を聞かれた憶えはありませんか」

「さあ……とにかく和佳子はいたって家庭的な性格で、ことにサツキが生まれてからは、子育て以外は眼中にないみたいでしたからねぇ……」

緑の答えには、依然乱れは感じとれない。

重倉と和佳子を結びつけるのは、やはり無理なのではあるまいか？

越智の悲観的な予感は強くなった。

しかし、そうとすれば、二人がたまたま別々に黒田を襲ったという単純な解釈に戻ってしまうわけか？

何万分の一かの偶然が発生したとでも考えるほかないのだろうか？

7

重倉覚の身辺にも、どうも和佳子の影は浮かんでこない。

「東京の大学を卒業後、都内の従業員五百人という大手の設計事務所に就職した重倉は、社長に見込まれ、三十歳で社長の長女房子と結婚しています。三年後の八一年春、三十四歳の時に房子を連れてニューヨークへ留学し、都市計画などを勉強して八四年に帰国したんですが、その後二年ほどで勤め先を退職し、現在の設計事務所を開いています。経営は順調のようですが……」

重倉が義父の会社を辞めて独立したのは、房子との不和が義父との関係にも影を落とし、気不味《きまず》くなったことが原因ではないか。設計事務所や出入り業者の中にはそんな憶測を口にする者もいたが、突っこんだ事情はわからない。

が、いずれにせよ、重倉と房子の間が冷えきっていることは、周囲にも知られていた。ニューヨークで自分もファッションの勉強をした房子は、帰国後、アパレルメーカーのオフィスで働き始め、夫婦はすれちがいの生活をしていたようだ。子供はなかった。

重倉には愛人がいた。これもまた近しい者はたいていわかっていたらしい。輸入インテリアのディーラーに勤める三十八歳の女性で、二人の関係は五年以上続いていた。

彼女は六本木のマンションで独り暮ししていたが、訪れた捜査員に重倉との関係をあっさり認めた。

「将来重倉と結婚するかどうかは、先のことなどわからないといった返事でした。自分には離婚の苦い経験があるし、重倉もまだ房子とすんなり別れる話合いがついているわけではない。いっそこのままのほうが気楽でいいというような本音も匂わせてましたね。近頃は、なんかもう一つはっきりしない夫婦や愛人関係があるもので、自分らにはよく理解できないですが」

まもなく初老にかかる捜査員が一言感想を挟んでから、

「とにかく和佳子と重倉が接触した形跡は浮かんでこない。和佳子は熊本に住んで三年目に妊娠し、サツキが五月に生まれた年の三月に重倉はアメリカへ行った。また和佳子が仙台から東京へ戻った年には、すでに重倉には今の愛人がいたわけです。二人の接点など、どうやっても見つけられないんですよ」

と報告をしめくくった。

「いっそ、二人を会わせてみたらどうでしょうか」といい出す者がいた。

「いや、別々に署へ喚んでおいて、廊下でばったり鉢合わせしたような形にする。二人がどんな態度をとるか、注意深く見ていれば、必ず何らかの手応えが得られるんじゃないでしょうか」

最後のテストだ。

横川も思案を決めた。その「手応え」によって、こちらも今後の方針を選択しなければならない。捜査側としても、いよいよ決断を迫られる段階に来ていた。

事件から十日後の七月二十六日午後、署では和佳子と重倉に、三回目の任意出頭を求めた。

和佳子のほうを一時間早く喚び、越智がすでに何度か訊いている事柄を復習したが、新たな追及の糸口も得られなかった。

重倉の到着が伝えられると、和佳子の帰宅を許すことにして、越智ともう一人の捜査員が付いて取調室を出た。

重倉のほうも、私服の二人が彼を挟み、さりげない雑談をしかけながら廊下を奥へと導いた。

和佳子たちが先に角を曲り、出会い頭に重倉たちとぶつかった。二人は四、五十センチの距離で、いやでも互いに顔を突き合わす恰好になった。

和佳子に付添った捜査員が重倉を、重倉の側が和佳子を見守った。ささいな表情の変化や不自然な動作一つも見落とすまいと、ほとんど息を殺して観察した。

わざと何秒間か対峙させておいてから、重倉に付添っていた者が道をあけ、それを合図のように、容疑者たちと四人の捜査員がすれちがった。

重倉にも小一時間の聴取が試みられたが、とりたてて収穫はなかった。

彼も帰らせたあとで、さっきの四人が刑事課長の部屋に集まった。横川警部と本庁のほかの二人も同席した。

「重倉は和佳子を見ても、別段驚いたり、動揺したふうもなかったですね。無理に感情を押し隠そうとするような気配さえ、ほとんど認められませんでした」

越智が最初に印象をのべ、「残念ながら」と付け加えた。彼と並んで歩いていた捜査員も同意見である。

「和佳子も同じようなものなんです」と反対側にいた者が首をひねった。

「瞬時でも重倉を凝視したり、反対にしいて彼から目を逸《そら》すというのでもなかった。こちらはみんな背広を着てたわけですが、和佳子は無意識に三人を等分に見ていたというか……」

和佳子と重倉は今まで会ったこともなかったような――観察者たちの印象を一言でいえば、こんなものだった。

聞込みの結果に加え、心証としても、彼らが共謀した疑いは、これで消えた。

横川は腕を組んで呻《うめ》いた。

二人を殺人の共犯容疑で逮捕することは、断念せざるをえないようだ。といって、どちらが先に手を下したか、立証できない限り、公判では両者ともに不能犯が成立してしまう公算が強い。

二人とも無罪になるくらいなら、いっそ最初から「死体損壊」容疑で起訴するか？　どうにも納得のいかない話だが、結局何万分の一かの偶然が発生して、事件を法律の陥《おと》し穴へ落としこんでしまったものであろうか？

彼は今日明日にももう一回検事と協議することにして、その場は解散した。

越智が自分のデスクへ戻りかけた時、交通課の佐藤が彼を呼び止めた。佐藤は昨年の事故を直接担当していたので、最初に越智が和佳子を訪ねる時に同行してもらった。が、それ以後は刑事課の捜査にはタッチしていなかった。

「実はですね、今日また重倉を喚ぶって聞いてて、さっき彼を玄関で見かけたんですが……」

「……？」

「二週間ほど前に事情聴取した時にもちょっと見ることは見たんだけど、顔が大分腫れてたし、ガーゼも当ててたでしょう？」

佐藤の喋り方はいささか悠長で、越智には彼が何をいわんとしているのかわからない。

「いやね、妙なことに気が付いたんですよ。重倉を見た時、ふとした加減で誰かを連想したみたいな感じがしたんですが、今やっとわかったんです。事故で亡くなったサツキちゃんの面差しがあるんですよ」

「え？」

「いやぼくも、生前のサツキちゃんには会ったことがなく、事故のあとで写真を見ただけだったんで暇がかかったんですが」

和佳子のいた社宅で、以前には仏壇の上に写真が掛けてあったと佐藤がいったことを、越智はふっと思い出した。

「でももうしまってしまいました。毎日顔を見てるとかえってつらいものですから」と、その時彼女は答えた。それで越智はサツキの顔を知らない……。

「し、しかし、和佳子は夫の転勤先の熊本で妊娠してるんだ。重倉のほうはずっと東京……」

「だけど、気が付いてみれば、他人の空似とは思えないくらいなんですよ。少なくとも、父親の三吉より似ている」

サツキが母親似といわれていたことは、越智も聞いていた。

だが、重倉と和佳子との接点は見出せない。

それでいて、サツキは重倉に似ているという。

どういうことだ……？

「あっ」と越智が小さく叫んだのは、佐藤が背中を向けて歩き出した直後だった。

なお少し夢中で考えていた越智は、電話を取って自宅にダイヤルした。彼には二人の娘がある。電話に出た妻に、二人のお産をした産婦人科病院の番号を尋ねた。

そちらへ掛け直して、院長に替ってもらった。

「捜査の参考までにお伺いするんですが、今時、女性は何歳くらいまで子供を産めるものでしょうか」

「そうね、四十五くらいまででしょうな」

中年の院長が答えた。

「たまに四十六や七で産んだという例も聞きますが、まあ四十五までと思っていただければまちがいないでしょう。初産か経産婦かはあんまり関係ありません。帝王切開という方法もありますから」

「お祖母ちゃん」は今年五十四歳だ。

和佳子の特徴がそのままそこにあったような長沢緑の顔を、越智は奇妙な感慨とともに瞼《まぶた》に浮かべた。昨年九歳で死んだサツキが生まれた時、彼女は四十四歳だったことになる……。

8

三吉範雄と和佳子の戸籍のある品川区役所に照会すると、サツキは十年前の一九八一年五月八日に出生し、嫡子として入籍されていた。そのような形で出生届が提出されたからであろう。

和佳子に電話で本籍を尋ねた時、越智はサツキのお産をした病院も聞いておいた。

「母のところへ帰って産んだものですから……世田谷区松原の山下産婦人科だったと思います。その頃は母が松原のマンションに住んでたんです」と、和佳子は不安そうな声で答えた。

つぎはそこを訪れた。古い二階建ての小ぢんまりした医院で、院長は六十歳をいくつか越えているように思えた。

越智は〈サツキ〉の出生について尋ねた。殺人事件に関係がある上、「出生の事実」は個人の秘密ではない。院長は了解して、病院の記録簿を調べてくれた。十年前ではカルテはないが、出生の記録簿が保存されていた。

子供の氏名――長沢サツキ。

出生――一九八一年五月八日午前一時五分。

母親の氏名――長沢緑。

子供の体重など、記録事項はほかにもあったが、越智にはこれだけで十分だった。

では、〈長沢サツキ〉はどこで〈三吉サツキ〉に変ったのか？

「出生届ですか？　うちではふつう、産婦の家族の方が役所から用紙をもらってきて、本人の書くところは書いて、あとはわたしが今お答えしたようなことを記入し、判を押して渡します。それを、出生地でも本籍地でも住所地でも、どこの役所にでも持って行って出せばいいわけです」

では仮りに、別の用紙に本人が医師の書く欄まで記入し、子供と母親の氏名を〈三吉サツキ〉と〈三吉和佳子〉にし、三文判を押して提出したらどうか？

「そうだね、役所ではすんなり受け付けてしまうんじゃないですか。わざわざ病院へ問合せるようなことは、まず絶対にありませんからな」

七月二十八日朝、長沢緑は池上署へ任意出頭を求められた。

横川警部と越智警部補が聴取に当った。

山下産婦人科の記録簿のコピーを突きつけられれば、緑もシラを切ることはできない。

「サツキは確かに、私の子でございました」

「父親は？　重倉覚だね？」

横川が畳みかけると、緑は一瞬押し黙ったが、やがて「はい」と頷《うなず》いて、眸を潤ませた。が、その後の質問には、艶のある低い声で、比較的冷静に答えた。和佳子がお産した病院を尋ねられた頃から、覚悟していたのかもしれなかった。

今から十一年前、重倉が緑のいる画廊へ立ち寄って、彼女と知りあい、たちまち二人は恋に陥ちた。その時彼は三十二、緑は四十三歳で、十一歳の開きがあったが、不思議なほどそれは意識しなかった。彼は社長の娘と結婚して二年目だったが、性格的にどこかしっくりいかないらしかった。

「半年ほどして、私は妊娠しました。でも彼は翌年奥さんといっしょにアメリカへ留学することが決まっていて、その時が私たちも別れる時と、お互いに無言で了解しあっていたのです」

一方、和佳子は三吉と結婚して三年目、二十三歳になっていたが、先天性卵管欠損のため、妊娠はほとんど絶望的といわれていた。幼稚園の先生を志望するほど子供好きの和佳子は、将来養子をもらうことまで、夫と話しあっていた。

「私は、重倉さんと別れても、子供だけは産みたかったのです。女はいくつになっても、愛する男の胤《たね》を残すことが無上の幸せです。和佳子に打ちあけて相談すると、いずれ養子を貰うなら、赤の他人より、血の繋がったその子を私が育てたいといってくれました」

重倉にも、子供を産む決心を伝えた。もう中絶できない時期に入っていた。生まれた子は実子として和佳子たちの籍へ入れるので、あなたはただ忘れてくだされればいい——。

三吉も承知したのは、妻を深く愛していたからだろう。多少は気持のわだかまりもある様子だった。が、和佳子が東京で生まれたサツキを抱いて熊本へ帰り、親子三人の暮しが始まると、それもたちまち氷解した。日々成長していくサツキがあまりにも可愛かったからだ。

「私はたまにサツキが風邪でもひいた時には手伝いに行きましたが、なるべく遠ざかっているほうがいいと思い始めました。それが範雄さんに対する礼儀のような気がしましたし、和佳子のサツキへの愛情は私以上といってもよかったかもしれません。あの子はもともと私などよりずっと母性的で、育児も上手なんです。妙なもので、私は愛する男の子を産んだことに満足して、和佳子は母親としてサツキを育てることに夢中になっていたんです」

サツキが生まれる前にニューヨークへ行った重倉は、三年後に帰国した。

その間には緑との音信も途絶えていた。緑はサツキの誕生だけは手紙で知らせたが、その後は意識的に子供のことには触れないようにして、しだいに便りも間遠になっていった。

重倉が緑の画廊へ姿を見せたのは、帰国後また四年ほど経ってからである。義父の許から独立して設計事務所を開いたこと、妻との間には子供はできないらしいし、望む気持もないといったことを淡々と話したあと、彼はサツキの消息を尋ねた。

その頃和佳子たちは現在の社宅へ移ったばかりだった。緑はサツキが和佳子たち夫婦の実子として幸せに育っていることを伝えた。

「しばらくたって、重倉さんから電話がありました。たまたま和佳子たちの社宅の前を通り、ちょうどランドセルを背負って帰ってきたサツキを見かけた。小学二年生の名札を付けて、天使みたいに可愛かったと……」

サツキの話になると、緑は声を震わせ、眸にはまた涙が溢《あふ》れた。

「その時は本当にたまたまだったのかどうかわかりませんが、彼がそれ以上サツキに接近するようなことはありませんでした。ただ時々私に電話してきて、元気だと聞くと安心している様子でした」

昨年一月の事故も、緑から電話で重倉に伝えられた。サツキの無残な死に、もっとも耐えがたい衝撃を受け、半狂乱になったのは、和佳子であった。

和佳子は黒田の裁判も傍聴に行き、判決が軽すぎるといって歯ぎしりした。出所を待ち構えて、悔悟のかけらもない黒田の態度や、無防備な暮しぶりを観察し、復讐の決意を洩らした。

「でも、それではすぐ和佳子の犯行とわかってしまいます。狂人のような暴走族のために、サツキの命ばかりか、和佳子の人生まで棒に振ることになってしまいます」

唇をかみしめて沈黙した緑に、横川が促すように訊いた。

「そこで、重倉に協力させたわけか。いわばあなたがフィクサーになって、直接会ったことのない二人に、つぎつぎ黒田を刺させた。どちらが先にやったか特定できず、共謀も立証できない限り、殺人は不能犯になる。せいぜい死体損壊か、それすら証拠を残さずに免れようという、実にあざとい計画は、あなたが考え出したことか」

緑はなおしばらく押し黙っていたが、やがて、思いのほか静かな声でいった。

「証拠が残るはずはありません。二人とも何もしていないのですから」

「……」

「重倉さんの喧嘩は、お察しの通り、わざと仕掛けたものです。いってみれば、彼にはしばらくの間、偽の容疑を引き受けてもらったのです。犯行の日は、範雄さんの出張中を選びました。まちがいなくアリバイを作っておくことが、彼の役目でした。万一範雄さんも容疑の対象になれば、簡単に和佳子との共犯を疑われてしまいます」

「二人とも何もしてないといったが、実際の犯行は？」

「私が一人でやりました」

息をのむ彼らの前に、緑は少し頭をさげた。

「黒田のアパートの様子は、和佳子からくわしく聞いていました。あの晩私は、友だちに借りた車でアパートの近くまで行き、最初は午前一時四十五分に、網戸を立てかけただけの戸口から忍びこみ、大の字になって鼾《いびき》をかいていた黒田の心臓を出刃包丁で一突きしました。車へ戻り、帽子をかぶってブルゾンを着ました。引き抜いてきた包丁は車内に隠し、細身の果物ナイフを持って、二時二十五分に再びアパートへ侵入しました。すでに死体になっている黒田の腹部を三回刺し、ナイフをそのままにして逃げました。二回とも手袋をはめていましたから、指紋を残す気遣いはありませんでした」

「刑法の陥し穴を狙うような、そんな計画は、どうやって考えついたのか？」

ややあってから、驚愕を抑えた越智が訊いた。

「私の親しい友だちの子息が、大学の法学部の助手をしています。以前その人から不能犯の話を聞いたことがありました。今度は仕事でお付合いのある弁護士さんに、小説でも書くような顔でくわしく教えてもらいました。それにしても、怖い賭けでした。万一、二人が殺人未遂で起訴されるようなことになれば、即刻私が自首するつもりでした。その時のために、黒田の心臓を刺した出刃包丁は家にとってあります」

緑は、奇妙な安堵も感じられる、深い溜め息をついた。それから、遠い過去の日の情熱を甦《よみがえ》らせているような、光をたたえた目を窓の外へ向けた。

「サツキは私の子です。和佳子が、黒田をあのままにしておいては気が狂うというのなら、代って私が復讐することが当然ではないでしょうか」


「やっぱり、何万分の一の偶然がつくり出した事件ではなかったわけだな」

一通りの聴取を終えたあとで、横川が越智に語りかけた。

「ぼくの知り合いで、娘が未婚のまま子を産んでしまった家庭がある。やむをえず、両親が引き取って、自分たちの養子として入籍し、娘は身軽にしてよそへ嫁がせた……」

「そういうケースは時たまありますがね」

「しかしねぇ、母親の産んだ、いわゆる不倫の子を、娘が引き取って育てるってのは、珍しい話だなあ。時代を感じさせるようでもあるが、これこそ何万分の一のレアケースかもしれないね」

またこうも考えられると、越智は思う。

緑も重倉も三吉夫婦も、サツキを誠実に愛していたのだ。一人のいたいけな少女に注がれた四人の偽りない愛情が、このきわどい犯罪を構成していた。それこそ稀有なる人間の物語ではないだろうか、と——。

解説

大村彦次郎

○いまから三十数年も前の話だ。「小説現代」が創刊されてから一年ほどの間、「今月のパーティ」というグラビア企画があって、毎号文壇人の集まりを写真に撮して掲載していたことがある。

講談社の関連会社である東都書房の原田裕さんが、若手の推理作家の育成を心がけられていて、原田さんの肝煎《きもい》りで女流推理作家の懇親会「霧の会」が作られたのは、ちょうどその頃である。とにかくその何回目かの会合が催されるときいたとき、私は撮影を申し込み、許可され、カメラマンを伴って出かけたのである。会場は横浜のホテルニューグランドの一室で、あいにくの雨模様だったが、霧雨けむる横浜港と山下公園を窓外のバックに、出席者八名の写真を撮らせて貰った。「『霧の会』にふさわしいお天気ね」と、誰かが言ったのをおぼえている。

仁木悦子さんを囲むようにして、戸川昌子、曽野綾子、南部樹未子《きみこ》、水芦《みずあし》光子、新章文子、園田てる子といった錚々《そうそう》たる女流の顔ぶれが居並んでいて、私はこわごわお一人ずつに挨拶した。そのなかに一番若く、京人形の童女のような可憐な面立ちの女性がい

て、ひどく印象に残ったが、それが夏樹しのぶさんであったことは言うまでもない。こう書くと、

「これだから、男の編集者は、いやァね」

と言われそうだが、事実だから言い訳はしない。先日も、文藝春秋の某編集者がやって来て、

「昔、お前は夏樹さんに会って、作品のことは褒《ほ》めずに、〃アップに耐えられる顔〃と言ったそうじゃないか」

と、穏当ならざることを言った。そんな覚えはないから、夏樹さんにハガキで問い合わせたら、

「忘れちゃ、困りますよ。ご自分で言われたことには、責任を持って下さい」

と、ピシャリとやられた。いまさら反省しても遅い。まァ、美人に甘いのは編集者ばかりか、男の作家もそうで、たとえば野坂昭如さんなどは、私と九州へ赴《おもむ》いた折、夏樹さんの前で下手な歌を披露して、

「俺の歌を聴いて、夏樹さんは、感動の余り、涙を流した」

などと、暫くの間、豪語していた。これは私も一緒だったからたしかなことで、歌は「黒の舟唄」。夏樹さんはなぜか、このとき涙を流された。ただし、歌唱力のせいではない。この理由はまだ夏樹さんには尋《き》いていない。

○夏樹さんが慶応大学の学生時分から、NHKの「私だけが知っている」という推理番組のシナリオを書いていたのは、周知のことである。それから夏樹さんは結婚されて、筆を断ち、再びわれわれ編集者の前にその作品を問うたのは、昭和四十四年、江戸川乱歩賞に「天使が消えていく」を応募されてからのことで、これもよく知られた事柄である。その年の受賞者は「高層の死角」の森村誠一さんだったが、乱歩賞の予選の下読みをなさっていた前記原田さんから、「惜しいことをしたよ」と聞かされて、私はとっさに九州の夏樹さん宛に小説依頼の手紙を発送した。夏樹さんはその前に、そうだ、双葉社の「推理ストーリー」八月号に「見知らぬ敵」という短篇を発表されていて、たしかこれを私は読んで、およその見当をつけていたのだ、と思う。だから、やみくもに頼んだ訳ではない。

その頃、夏樹さんは二人のお子さんの育児に一番手のかかる時期だったが、売り出すためには、こっちは見て見ぬふりで、矢継早やに原稿を頼んだ。それで四十四年の「小説現代」十二月号に載った「断崖からの声」を手はじめに、「襲われて」「死ぬより辛い」「見知らぬわが子」などの初期作品が生まれたのである。

当時はずいぶん手前勝手な注文をつけさせて貰ったが、今度これらを久しぶりに読み返してみて、あらためて堪能した。なるほど、この作者がのちに華やかに開示させた天稟《てんぴん》のほとんどが、ここにはすでに出揃っている。たいしたものだ。もしも私がそのことにいち早く気がついていたら、われなかなかの伯楽と、低い鼻が高いのだが、いや、もうその頃のことは、やたら向う見ずで、記憶もあいまいで、自信がない。

ただ夏樹さんがご自分の名前を、しのぶから静子に改名してからほどなく、「弁護側の証人」を書いたあと休筆していた小泉喜美子さんと、「マラッカの海に消えた」で惜しくも乱歩賞を逸した山村美紗さんを一緒にして、〈華の女流推理トリオ〉と銘打って売り出そう、と画策したことがある。実現していたら、〈三役揃い踏み〉だ。頭の悪い編集者が思いつくのは精々そんなところで、そのたびに〈音羽ゆりかご会〉の仕掛人などと、悪評を蒙ったが、それもいまや昔の物語だ。

○推理小説の真髄は長篇にあると言われるが、短篇推理もそれなりに捨てがたい味がある。短篇では必ずしも本格に固執することもないから、あらゆるヴァラエティに富むミステリー形式を選ぶことができる。といって、短篇の場合、それらに先立って、まず文章に魅力がないといけない。つまり描写力が先決だ。これが薄手だと、人物や環境が書割になって、雰囲気の盛上がりに欠ける。長篇で勝負してくる乱歩賞系統の作家は、トリックや構成にすぐれていても、短篇技法に長じているとは限らない。その系統のひとでは、西村京太郎、西東登氏などが合格点をとったが、あと一、二の作家を除くと、誰がいたろう。その点、夏樹さんはトリックの着想にも恵まれたが、細部の描写にすぐれ、生来の短篇型作家の資質もそなえていたのは、なによりの強味だった。

○さて、夏樹さんの最近作を集めた短篇集「一瞬の魔」についてである。短篇推理の下手な解説をして、元を割ったらおしまいだから、簡略に書く。収録された五篇の作品は、どれから入っても、まず当り外れの心配がない。それぞれ専門材料を扱って、いずれも遺漏なく、作者の熟達した力倆を窺《うかが》うのに申し分ない。

「一瞬の魔」は、土地売買の契約から生じた一億円の裏金の架空名義がからむ銀行員の犯罪である。妻子ある同僚の男性との新しい生活設計を夢みる女子行員が、男の指示通りに大胆に動きながら、最後の詰めの一瞬で、フトした魔がさして自滅する。メカニックな完全犯罪を潰したのは、男の愛を摑みかねる女の心理の揺れである。この作品を読んで、私はなぜか、松本清張の「百円硬貨」という短篇を思い出した。銀行の出納係をしていた女が、男のために大金を持ち逃げし、駅頭で小額の貨幣を惜《おし》んで発覚する。仕立ても雰囲気も異なりながら、女性心理のわずかな隙を衝いた、という点では似ているかもしれない。なお、エラリー・クイーンがよく使ったタイトルにちなんで、「夏樹静子のゴールデン12《ダズン》」（文藝春秋刊）が編纂されたのは平成六年のことだが、この中に「一瞬の魔」が選ばれたのは、作者にとっても当を得た評価だったにちがいない。

「黒髪の焦点」は、いま流行の女高生売春事件を先取りしたような作品で、作者の今日性への関心がきわだって見える。一過性の病気みたいに卒業後は忘れたように処理してしまうケースがおおいなかで、虚飾な女の過去への執着と嫉妬が思わぬ殺人を誘発する。

夏樹作品は材料の仕込みや吟味に手を抜かないのが特色だが、この「鰻の怪」もそうで、鰻の生態や養鰻《ようまん》業者の日常がよく描かれていて面白い。ことに直径十センチ以上の巨大な鰻がもつれ合い、絡み合い、獰猛な歯音をさせて繁殖する養鰻池の描写は圧巻で、この池の中に人間の死体が落ちたら、と作者の連想が働いたとき、すでに本作品は出来上がっていた、といってもいいのではないか。トリックはそのあとから考案されたかもしれない。

「輸血のゆくえ」は、馬匹《ばひつ》専門の女獣医が法律上では認められない人間への輸血行為を自身おこなうところに、刑事の疑惑の目が向けられる。ここでも馬用の十四ゲージの注射針とか抗凝固剤のクエン酸ソーダとか、細部は専門領域に入るが、調べがよくゆき届いているから素人にも分り易い。

「深夜の偶然」では、法律上の「不能犯」という事例が扱われている。もともとの死体を刺したり轢《ひ》いたりしても、罪に問われないという学説や判例があって、もしその盲点を衝いて援用したら。交通事故で愛児を轢き殺された母親が、報復のため加害者を刺殺したのではないか、という事件の進行のなかで、トリックは巧みに張りめぐらされる。

○作家は死ぬまで書くのが業である。締切に追われる晩年の松本清張さんに、もう少し筆を慎しんだらどうですか、と可愛げのないことを申し上げたことがあった。そのとき巨匠は、私を憐れむような遠い目付きをして、

「キミ、作家商売とは因果なものだ。生きて、書いて、死ぬ——これがすべてだよ」

と言われた。

ところで夏樹さんは、根治出来ないのではないかと心配された心因性の腰痛を幸いにも克服され、今年の五月から執筆を再開される、と聞く。病気療養中、身体が元手ゆえ、小説のことは忘れて暮すようにと、私は余計な手紙を差し上げたが、その心配はなくなった。

もういいですよ、夏樹さん。これからはどんどん書いて下さい。アガサ・クリスティはあなたの歳には、なにを書いたか。これからが作家の正念場かもしれませんね。読者にとっても楽しみです。夏樹さん、作家は死ぬまで書くのが業ですよ。

（元「小説現代」編集長）

文春文庫

一《いつ》瞬《しゅん》の魔《ま》

定価はカバーに
表示してあります

1997年8月10日　第1刷
1997年11月15日　第2刷

著　者　夏《なつ》樹《き》静《しず》子《こ》
発行者　新井　信
発行所　株式会社　文藝春秋
東京都千代田区紀尾井町3—23　〒102
TEL　03・3265・1211

落丁、乱丁本は、お手数ですが小社営業部宛お送り下さい。送料小社負担でお取替致します。

印刷・凸版印刷　製本・加藤製本

Printed in Japan
ISBN4-16-718423-0